실력도 **탑!** 재미도 **탑!**

사고력 수학의 으뜸

KB157166

이 책의 목차

TOP 사고력 수학의 특징

TOP사고력 수학 A/B 시리즈 는 수학 경시 대회와 영재교육원을 대비하여 꼭 알아야 할 교과서 밖 수학 개념과 실전 문제로 학생을 최상위권으로 이끌어줄 교재입니다.

보통의 상위권 실전 문제집들이 주제별로 적은 수의 문제를 나열하는 구성이라면 TOP사고력 수학은 풍부한 개념과 여러 가지 문제해결의 원리를 캐릭터들과 함께 재미있게 살펴본 후, 유형별로 충분히 연습할 수 있도록 하였습니다. 더불어 "사고력 쑥쑥"이라는 이름의 별도 구성을 두어 주제별 학습 이후에 다양한 문제를 해결하면서 주제별 다지기 학습을 할 수 있도록 했습니다.

수학적 "깜냥" 키우기

깜냥의 뜻 - 스스로 일을 헤아릴 수 있는 능력

TOP사고력 수학의 학습 목표는 처음 보는 문제를 만나더라도 문제가 요구하는 바를 정확하게 파악하고 스스로 해결할 수 있는 능력, 즉 수학적 깜냥을 키우는 것입니다. 그런 의미에서 이 책의 주인공은 깜냥에서 따온 깜이와 냥이라는 두 아이와 수학 선생님입니다. 다양한 실전 문제를 해결하기에 앞서서 개념과 원리를 깜이, 냥이와 선생님이 이야기하듯이 재미있게 알려 줍니다.

깜이   냥이   선생님

스토리텔링 수학!

스토리텔링의 본질은 이야기를 전달하는 것이 아니라 말하는 사람과 듣는 사람 간의 상호 작용을 통해서 듣는 사람이 스스로 생각하면서 이해할 수 있도록 하는 것입니다. TOP사고력 수학은 만화나 이야기를 매개체로 하여 내용을 전달하는 형식적인 스토리텔링이 아니라 아이에게 상황을 그림으로 보여주고 질문을 하고, 활동 자료로 직접 해 볼 수 있도록 하고, 게임을 하면서 연습할 수 있도록 하는 가장 효과적인 스토리텔링 수학입니다.

체계적 구성과 충분한 연습으로 사고력 쑥쑥!!

각 단원의 시작은 "생각열기"로 학생들이 공부할 주제에 대해 먼저 생각해 보도록 질문을 던지고, 다음 쪽에서 선생님의 설명이 이어집니다. 작은 주제별로도 상황에 맞는 개념과 원리를 충분히 알아본 후, "탐구 유형"에서 유형별로 문제를 다루어 보도록 하였습니다. 단원의 마지막인 "TOP 사고력"에서는 실전 사고력 문제로 단원을 마무리하게 됩니다.

책의 뒷부분에는 각 단원의 복습 및 다지기를 할 수 있는 "사고력 쑥쑥"을 두어 충분한 연습으로 공부한 내용을 자기 것으로 만들 수 있도록 하였습니다.

예비 활동 가이드

TOP사고력 수학 A/B 시리즈는 실전에 강한 수학 공부를 목표로 하기 때문에 교구의 도움 없이 문제 해결을 하도록 하였습니다. 그 대신 주제에 따라 스스로 원리를 이해하고 문제를 해결하는데 도움이 되도록 예비 활동 가이드를 두어 필요에 따라 문제를 해결해 보기 전에 해 볼 수 있는 활동을 제시하였습니다.

저자 동영상 강의

정답지에서 글로 전달하기 힘든 교육 방법, 활용의 예, 개념의 확장 등의 동영상을 제공합니다. 동영상은 PC에서 볼 수도 있고, QR코드를 이용하여 모바일로 이용할 수도 있습니다.

TOP사고력 수학 시리즈

- **영역별 나선형식 반복 학습 구조**
- **나이, 학년 단계별 수학의 각 영역 비중 차등**
- **경시, 영재교육원 등의 최신 문제 경향 반영**

유아 단계와 초등 단계의 학습 목표

- **K/P시리즈** - 초등 입학 전 알아야 할 필수적인 수학 개념을 익히면서 수감각, 공간지각력, 논리력, 문제 이해력 등 수학적 직관력을 키우기
- **A/B시리즈** - 초등 저학년을 대상으로 수학 경시, 영재교육원의 대비와 최상위권으로 이끌기

시리즈별 학습 단계

- **K시리즈** - 수학의 시작 단계(6~7세)
- **P시리즈** - 초등 입학 준비 단계(7~8세)
- **A시리즈** - 초등 1학년 과정을 마친 학생을 대상으로 한 심화 사고력(초1~초2)
- **B시리즈** - 초등 2학년 과정을 마친 학생을 대상으로 한 심화 사고력(초2~초3)

TOP 사고력 수학의 구성

생각열기

각 단원의 첫 페이지는 공부할 주제에 대한 발문의 역할을 하는 "생각열기"입니다.

재미있게 공부할 주제에 대한 호기심을 유발하고, 간단한 질문에 답하도록 합니다. 꼭 정답을 맞추기보다는 스스로 생각해 보는 것에 초점을 맞추도록 합니다.

스스로 먼저 생각하는데 방해가 되지 않도록 질문에 대한 설명은 종이를 1장 넘기면 다음 쪽에 있습니다.

원리 탐구

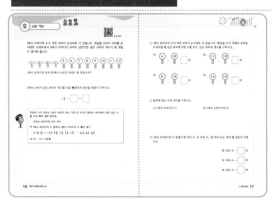

작은 주제별로 개념과 문제해결의 원리를 알아보고, 확인 문제를 해결해 봅니다.

탐구 유형

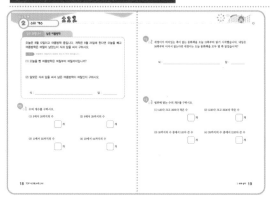

주제별로 여러 가지 유형별 문제를 공부합니다. 문제해결의 원리를 발견할 수 있도록 단계적으로 질문에 따라 문제를 해결해 보고, 연습 문제를 공부합니다.

TOP 사고력

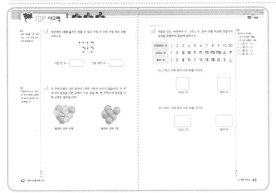

주제별 최고 난이도의 심화 문제를 공부합니다.

사고력 쑥쑥

81쪽에서 112쪽까지 32쪽에 걸쳐서 앞에서 공부한 부분을 스스로 복습하고 다지기 하도록 합니다. 80쪽에는 작은 주제의 복습을 시작하는 날짜를 적어서 한 권을 마치는 동안 공부한 시간을 한 눈에 볼 수 있도록 했습니다.

예비 활동 가이드와 활동 자료

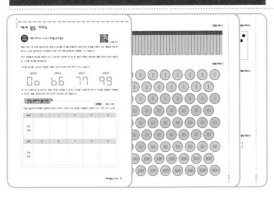

본문을 공부하기 전에 예비 활동을 소개하고 활동에 필요한 활동 자료가 들어 있습니다.

A 시리즈의 학습 내용

A1

수	1. 수와 숫자
	2. 여러 가지 수
평면	3. 닮음과 모양 나누기, 붙이기
	4. 모양 바꾸기

A2

측정	1. 비교하기
	2. 저울산과 넓이
연산	3. 연산 퍼즐
	4. 수와 식 만들기

A3

수	1. 수의 크기
	2. 조건에 맞는 수
평면	3. 모양 겹치기
	4. 모양의 개수

A4

연산	1. 지워진 연산 퍼즐
	2. 모양이 나타내는 수
입체	3. 쌓기나무의 관찰
	4. 입체모양과 주사위

A5

규칙	1. 여러 가지 규칙
	2. 약속과 규칙
논리	3. 논리적 추론
	4. 논리 판단 퍼즐

A6

확률과 통계	1. 기준과 분류
	2. 다양한 방법의 수
문제 해결	3. 조건에 맞게 직접 해 보기
	4. 문제를 해결하는 방법

동영상 강의를 활용해요.

단원의 목차에는 동영상 이라는 표시가, 각 페이지의 윗부분에는 ▓ 모양이 있으면 동영상 강의가 있다는 뜻입니다.
동영상 강의에서는 문제를 해결하는 원리를 좀 더 쉽게 설명해 줍니다. 어려운 부분은 동영상 강의를 이용할 수 있습니다.

예비 활동을 활용해요.

단원의 목차에는 예비활동 이라는 표시가, 각 페이지의 윗부분에는 예비활동가이드 1쪽 표시가 있으면 문제를 풀기 전에 해 보면 좋은 활동이 있다는 뜻입니다.
예비 활동 가이드와 활동 자료를 이용하여 활동이나 게임을 먼저 해 보고 나서 책의 문제를 풀어보면 좀 더 재미있고, 쉽게 문제를 해결할 수 있습니다.

접는 선을 따라 종이를 접고 문제를 풀어요.

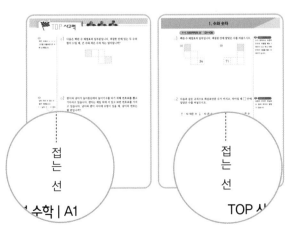

"TOP 사고력"과 "사고력 쑥쑥"에는 접는 선이 표시되어 있습니다. 접는 선 표시에 따라 종이를 접고 문제를 풀고, 어려운 경우 종이를 펼쳐서 도움글을 보고 해결해 봅니다.

TOP

사고력 수학

1. 수와 숫자

TOP 사고력

0은 수일까? 숫자일까?

글자 '소'와 글자 '리'를 함께 써서 '소리'라는 낱말이 만들어지는 것처럼 숫자 '1'과 숫자 '5'를 함께 쓰면 '15'라는 수가 만들어집니다.

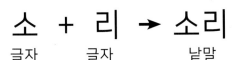

0은 수일까? 숫자일까?

0은 10, 20과 같이 다른 숫자와 붙여서 사용하니까 숫자예요.

저는 생각이 달라요. 0만 썼을 때 하나도 없다는 뜻을 나타내니까 혼자 있을 때의 0은 수인 것 같아요.

0은 수입니까? 숫자입니까?

0에서 9까지의 숫자는 모두 수가 되기도 해. 글자' 소 '는 다른 글자와 함께 붙여서 '장소', '소문' 과 같이 쓰기도 하지만 '소' 라고만 써도 낱말이 되지? 마찬가지로 숫자 '1' 만 썼을 때 일(하나)을 나타내는 수 '1' 로 생각할 수도 있어.

소 → 소　　　　1 → 1
글자　낱말　　　숫자　수

15와 같이 숫자 2개가 사용된 수를 두 자리 수라고 하고, 1을 십의 자리의 숫자, 5를 일의 자리의 숫자라고 해.

🍷 다음 수를 보고 물음에 답하시오.

> 26, 35, 40, 33, 52, 80, 19, 24

(1) 각 자리 숫자의 합이 8인 수는 몇 개입니까?

(2) 십의 자리 숫자가 일의 자리 숫자보다 큰 수는 몇 개입니까?

🌱 수와 숫자의 개수를 각각 구하시오.

(1) 7, 8, 9, 10, 11　　　수 - ☐ 개　　숫자 - ☐ 개

(2) 99, 100　　　　　　수 - ☐ 개　　숫자 - ☐ 개

1에서 100까지의 수를 가로 10줄, 세로 10줄로 적은 표를 백판 수 배열표라고 합니다.

1	2	3	4	5	6	7	8	9	10
11	12	13	14	15	16	17	18	19	20
21	22	23	24	25	26	27	28	29	30
31	32	33	34	35	36	37	38	39	40
41	42	43	44	45	46	47	48	49	50
51	52	53	54	55	56	57	58	59	60
61	62	63	64	65	66	67	68	69	70
71	72	73	74	75	76	77	78	79	80
81	82	83	84	85	86	87	88	89	90
91	92	93	94	95	96	97	98	99	100

💡 백판 수 배열표의 일부입니다. 빈칸에 알맞은 수를 써넣으시오.

(1)

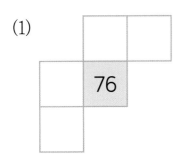

(2)

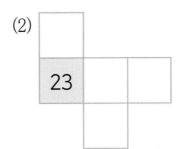

💡 1에서 100까지의 수 배열표의 수에서 화살표를 따라 이동했을 때 나오는 수를 □ 안에 써넣으시오.

(1)

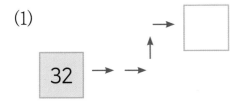

(2)

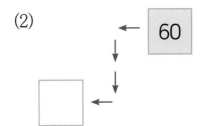

탐구 유형 1-1 **화살표 규칙**

다음과 같은 규칙으로 화살표만큼 수가 커지고, 작아질 때 □ 안에 알맞은 수를 써넣으시오.

↑ : 10 작은 수   ↓ : 10 큰 수   ← : 1 작은 수   → : 1 큰 수

21 → ↓ → ↑ ← 22   69 ← ↑ ← ↑ → 48

56 ↑ ← ↑ ← ← ↓ → □

• Point 방향이 반대인 화살표는 둘씩 짝지어 없애면 문제가 간단해집니다.

(1) 방향이 서로 반대인 화살표를 짝지어 지워서 화살표를 간단히 해 보시오.

(2) 남은 화살표만큼 수를 이동하여 도착하는 수는 무엇입니까?

연습

01 백판 위의 수를 화살표만큼 차례로 이동할 때 도착하는 수를 □ 안에 써넣으시오.

(1) 38 ← ↓ ↓ → □

(2) 22 ↑ ← ↓ → □

(3) 73 → ↑ → → ↓ → □

(4) 49 ← ↑ ↑ ← ↓ □

백판 수 배열표 위의 수를 화살표만큼 이동하여 도착한 수를 보고 처음 출발한 수를 구하시오.

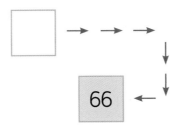

• Point   지울 수 있는 화살표를 없애고, 남은 화살표의 방향을 반대로 생각합니다.

(1) 방향이 서로 반대인 화살표를 짝지어 지워서 화살표를 간단히 해 보시오.

(2) 남은 화살표를 반대로 생각하여 66에서 거꾸로 이동하여 처음 출발한 수를 구하시오.

01 백판 위의 수를 화살표만큼 차례로 이동하여 도착한 수를 보고 처음 출발한 수를 구하시오.

(1) ☐ ← ↓ → → 57

(2) ☐ ↑ → → ↓ 14

(3) ☐ → → ↑ → ↓ 64

(4) ☐ ↓↓ ← ↑ ← 35

어느 달 달력의 24일은 월요일입니다. 화살표만큼 이동했을 때 도착하는 날짜와 요일을 구하시오.

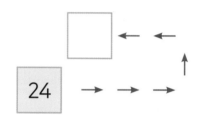

• Point 달력 위에서 화살표 방향에 따라 수가 어떻게 커지고 작아지는지 생각합니다.

(1) 달력의 수를 화살표 방향으로 이동하면 수가 어떻게 변하는지 □ 안에 알맞은 수를 써넣고, ( ) 안의 말 중 올바른 것에 ○표 하시오.

← : ［ 1 ］이 (커져요. / **작아져요.**)   → : ［ 1 ］이 (**커져요.** / 작아져요.)

↑ : ［　］이 (커져요. / 작아져요.)   ↓ : ［　］이 (커져요. / 작아져요.)

(2) 지울 수 있는 화살표를 지우고 화살표를 간단하게 나타내시오.

[□]

[24]

(3) 화살표만큼 이동했을 때 도착하는 날짜와 요일은 무엇입니까?

날짜 : ［　］일   요일 : ［　］요일

01 화살표 규칙을 보고 □ 안에 알맞은 수를 써넣으시오.

25	26	27
35	36	37
45	46	47

(1)

□

12

(2)

□

54

02 다음과 같은 규칙으로 화살표만큼 수가 커지고, 작아질 때 □ 안에 알맞은 수를 써넣으시오.

↑ : 5 작은 수   ↓ : 5 큰 수   ← : 2 작은 수   → : 2 큰 수

(1) 5 ↓ ← ← ↓ → □

(2) 26 ↓ ← ↑ ↑ → □

2 수의 개수

수의 개수

1에서 12까지의 수가 적힌 과녁이 순서대로 서 있습니다. 화살을 쏘아서 과녁을 순서대로 쓰러뜨려서 5에서 12까지의 과녁이 남았다면 남은 과녁의 개수가 몇 개일지 생각해 봅시다.

1에서 12까지의 과녁 중에서 쓰러진 과녁은 몇 개입니까?

5에서 12까지 남은 과녁의 개수를 다음 뺄셈식의 빈칸을 채워서 구하시오.

$$12 - \boxed{} = \boxed{}$$

연속한 수의 개수는 1에서 세어야 하는 가장 큰 수까지 중에서 1에서부터 세지 않는 수를 모두 빼어 세면 편리해.

13에서 45까지의 수의 개수

➜ 1에서 45까지의 수 중에서 1에서 12까지의 수 빼어 세기

~~1 2 3 ··· 11 12~~ 13 14 15 ··· 43 44 45

➜ 45 - 12 = 33(개)

🔍 범위에 맞는 수의 개수를 구하시오.

(1) 1에서 15까지의 수   (2) 1에서 100까지의 수

🔍 1에서 18까지의 수가 적힌 과녁이 순서대로 서 있습니다. 화살을 쏘아 차례로 과녁을 쓰러뜨릴 때 남은 과녁에 적힌 수를 보고, 남은 과녁의 개수를 구하시오.

(1)  ... ⬜ 개

(2) ... ⬜ 개

(3) ... ⬜ 개

(4) ... ⬜ 개

🔍 1에서 100까지의 수 중에서 한 자리 수, 두 자리 수, 세 자리 수는 각각 몇 개인지 구하시오.

한 자리 수 - ⬜ 개

두 자리 수 - ⬜ 개

세 자리 수 - ⬜ 개

탐구 유형 2-1   **축제 기간**

벚꽃축제가 3월 17일부터 3월 마지막 날까지 열린다고 합니다. 축제 기간은 모두 며칠인지 구하시오.

• Point 3월의 마지막 날은 31일입니다.

(1) 3월 중 축제 기간이 아닌 날은 모두 며칠인지 구하시오.

(2) 알맞은 식과 답을 써서 축제 기간이 며칠인지 구하시오.

식 : _____   답 : _____

연습

01 수의 개수를 구하시오.

(1) 5에서 16까지의 수

☐ 개

(2) 6에서 29까지의 수

☐ 개

(3) 11에서 35까지의 수

☐ 개

(4) 23에서 44까지의 수

☐ 개

02 세영이가 비어있는 쪽이 없는 동화책을 오늘 12쪽부터 읽기 시작했습니다. 내일은 36쪽부터 이어서 읽는다면 세영이는 오늘 동화책을 모두 몇 쪽 읽었습니까?

식 : _____   답 : _____

03 범위에 맞는 수의 개수를 구하시오.

(1) 4보다 크고 26보다 작은 수
↳ 5에서 25까지의 수
☐ 개

(2) 12보다 크고 33보다 작은 수
☐ 개

(3) 16까지의 수 중에서 5보다 큰 수
☐ 개

(4) 28까지의 수 중에서 12보다 큰 수
☐ 개

탐구 유형 2-2   어제는 몇 쪽까지?

오늘 세연이가 수학 문제집을 아홉 쪽 풀었더니 16쪽까지 풀게 되었습니다. 세연이는 어제 몇 쪽까지 문제집을 풀었는지 구하시오.

• Point ▶ 어제까지 공부한 쪽과 오늘 공부한 쪽으로 나누어서 생각합니다.

(1) ★은 어제까지 공부한 마지막 쪽이고, ◆은 오늘 공부를 시작한 쪽입니다. □ 안에 어제까지 공부한 쪽 수를 써넣으시오.

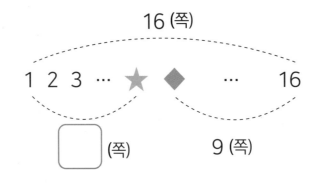

16 (쪽)

1 2 3 … ★ ◆ … 16

□ (쪽)   9 (쪽)

(2) 세연이는 어제 몇 쪽까지 문제집을 풀었습니까?

★ = □

연습

01 1에서 19까지의 수를 차례로 썼습니다. ▽는 △보다 1 큰 수이고, ▽에서 19까지의 수의 개수가 6개일 때, △, ▽를 각각 구하시오.

1 2 3 … △ ▽ … 19

△   6

△ = □

▽ = □

연습

2 밑줄 친 부분을 바르게 고치시오.

> 1에서 30까지 적힌 수 카드가 크기 순서대로 놓여 있습니다.
> 6번 카드부터 차례로 14장의 카드를 뽑으면 마지막 카드는
> <u>20</u>번 카드입니다.

연습

3 놀이기구를 타기 위해 25명이 한 줄로 서 있습니다. 종세 뒤에 4명이 서 있고 종세 앞에 있던 3명은 기다리다 포기하고 갔을 때 종세 앞에 서 있는 사람은 모두 몇 명 인지 구하시오.

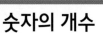

3 숫자의 개수

숫자의 개수

1에서 100까지의 수에서 숫자의 개수에 대해 알아봅시다.

1에서 100까지의 수 배열표와 0에서 99까지의 수 배열표에서 숫자 7을 모두 ○ 표 했습니다.

1	2	3	4	5	6	⑦	8	9	10
11	12	13	14	15	16	1⑦	18	19	20
21	22	23	24	25	26	2⑦	28	29	30
31	32	33	34	35	36	3⑦	38	39	40
41	42	43	44	45	46	4⑦	48	49	50
51	52	53	54	55	56	5⑦	58	59	60
61	62	63	64	65	66	6⑦	68	69	⑦0
⑦1	⑦2	⑦3	⑦4	⑦5	⑦6	⑦⑦	⑦8	⑦9	80
81	82	83	84	85	86	8⑦	88	89	90
91	92	93	94	95	96	9⑦	98	99	100

0	1	2	3	4	5	6	⑦	8	9
10	11	12	13	14	15	16	1⑦	18	19
20	21	22	23	24	25	26	2⑦	28	29
30	31	32	33	34	35	36	3⑦	38	39
40	41	42	43	44	45	46	4⑦	48	49
50	51	52	53	54	55	56	5⑦	58	59
60	61	62	63	64	65	66	6⑦	68	69
⑦0	⑦1	⑦2	⑦3	⑦4	⑦5	⑦6	⑦⑦	⑦8	⑦9
80	81	82	83	84	85	86	8⑦	88	89
90	91	92	93	94	95	96	9⑦	98	99

0에서 99까지의 수 배열표를 같이 살펴본 이유는 십의 자리의 숫자를 세기 편리하기 때문입니다. 십의 자리와 일의 자리에 7은 각각 몇 개입니까?

숫자의 개수를 셀 때는 십의 자리와 일의 자리로 나누어서 세면 편리해.

💡 위 수 배열표를 이용하여 1에서 100까지의 수에서 다음 숫자의 개수를 구하시오.

(1) 3

(2) 0

탐구 유형 3-1   숫자는 몇 개?

8에서 20까지의 수를 쓰면 숫자를 모두 몇 개 쓰게 됩니까?

● Point   숫자가 1개인 한 자리 수와 2개인 두 자리 수로 나누어서 구합니다.

(1) 한 자리 수와 두 자리 수는 각각 몇 개입니까?

한 자리 수 - ☐ 개   두 자리 수 - ☐ 개

(2) 한 자리 수와 두 자리 수에 사용된 숫자는 각각 몇 개입니까?

한 자리 수에 사용된 숫자 - ☐ 개

두 자리 수에 사용된 숫자 - ☐ 개

(3) 숫자는 모두 몇 개 쓰게 됩니까?

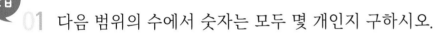

01 다음 범위의 수에서 숫자는 모두 몇 개인지 구하시오.

(1) 2에서 8까지의 수   (2) 12에서 18까지의 수

(3) 2에서 18까지의 수

02 컴퓨터의 자판으로 1에서 15까지의 수를 모두 쓰면 자판을 몇 번 누르게 됩니까?

TOP 사고력

01 다음은 백판 수 배열표의 일부분입니다. 색칠한 칸에 있는 두 수의 합이 57일 때, 큰 수와 작은 수의 차는 얼마입니까?

작은 수에서 큰 수로 얼마큼 이동했는지에 따라 큰 수와 작은 수의 차를 구할 수 있습니다.

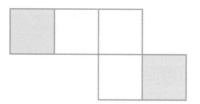

02 깜이는 6월 한 달 동안 매일 스포츠센터에 가서 운동을 했습니다. 6일부터 15일까지는 농구, 18일부터 29일까지는 수영을 하고 나머지 날들은 모두 탁구를 쳤습니다. 탁구를 친 날은 며칠인지 구하시오.

6월은 30일까지 있습니다.

접는 선

03 1에서 40까지의 수 배열표를 보고 숫자 3이 포함된 수의 개수를 구한 냥이의 말에서 잘못된 부분을 찾아서 ×표 하고 바르게 고치시오.

1	2	3	4	5	6	7	8	9	10
11	12	13	14	15	16	17	18	19	20
21	22	23	24	25	26	27	28	29	30
31	32	33	34	35	36	37	38	39	40

일의 자리 숫자가 3인 수가 4개,

십의 자리 숫자가 3인 수가 10개니까.

숫자 3이 들어간 수는 모두 14개야.

TOP of TOP

04 영화표를 사기 위해 30명이 한 줄로 서 있습니다. 문수부터 현아까지 7명이 서 있고 현아 뒤에 3명이 서 있다면 문수는 몇 번째에 서 있는지 구하시오.

7명

… 문수 … 현아 …

27번째

TOP 사고력 수학

2. 여러 가지 수

TOP 사고력

인도-아라비아 숫자

우리가 사용하는 숫자는 인도-아라비아 숫자입니다. 줄여서 아라비아 숫자라고도 하는데 인도 사람들이 사용하던 숫자를 아랍(아라비아) 사람들이 배워서 사용했습니다. 숫자를 만든 것은 인도 사람들이지만 다른 나라에 알린 것은 인도와 유럽 사이에서 물건을 사고 팔던 아랍 사람들입니다.

인도-아라비아 숫자가 널리 알려진 이유는 다른 숫자보다 편리하기 때문입니다. 같은 숫자라도 자리에 따라서 나타내는 수가 달라져서 적은 숫자의 개수로 많은 수를 나타낼 수 있습니다.

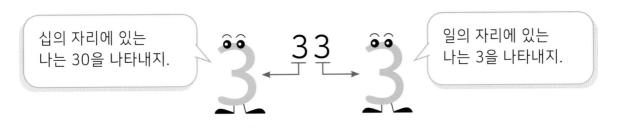

우리가 사용하는 인도-아라비아 숫자는 모두 몇 개입니까?

인도-아라비아 숫자로 나타낼 수 있는 수는 모두 몇 개입니까?

아주 옛날 원시인들은 숫자를 몸으로 나타내었다고 합니다.

1~5 : 오른쪽 새끼손가락부터 엄지손가락까지

6 : 오른쪽 손목	12 : 코
7 : 오른쪽 팔꿈치	13 : 입
8 : 오른쪽 어깨	14 : 왼쪽 귀
9 : 오른쪽 귀	15 : 왼쪽 어깨
10 : 오른쪽 눈	16 : 왼쪽 팔꿈치
11 : 왼쪽 눈	17 : 왼쪽 손목

18~22 : 왼쪽 엄지손가락부터 새끼손가락까지

불편하기도 하고, 기록을 남길 수도 없겠어.

맞아. 코가 간지러워서 긁으면 12라고 말하고 있는 거야. 불편했겠다.

다른 방법으로 물건 대신 돌맹이, 나뭇가지 등을 같은 개수만큼 나타내는 방법도 있었습니다.

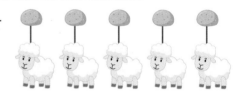

이 외에도 나무를 긁어서 표시 하는 방법이나 줄을 묶어서 나타내는 방법도 있어.

💡 원시인이 키우고 있는 닭의 수를 돌멩이로 나타내었습니다. 닭은 몇 마리입니까?

아프리카의 한 원시 부족은 큰 수를 셀 일이 없습니다. 그들은 수를 셀 때 다음과 같이 말합니다.

1 : 라	2 : 어	3 : 어라
4 : 어어	5 : 어어라	6 : 어어어

원시 부족의 수는 인도-아리비아 수로, 인도-아라비아 수는 원시 부족의 수로 나타내시오.

• Point ▶ 라와 어가 나타내는 수를 먼저 찾아봅니다.

(1) 어어어어라 ☐

(2) 어어어라 ☐

(3) 8 ☐

(4) 11 ☐

연습

01 원시 부족의 어린 아이가 물고기의 수를 세었습니다. 빈칸에 올바른 원시 부족의 수로 고쳐 쓰시오.

라라라라라라라라라라라라

잘못 세었어.
이렇게 해야지.

☐

점토에 그림을 그려 나타낸 메소포타미아의 수입니다. 빈칸에 알맞은 메소포타미아의 수를 써넣으시오.

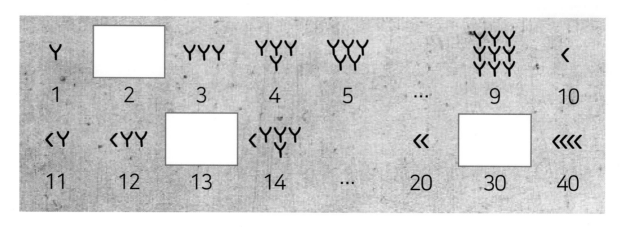

• Point ▶ 두 개의 숫자를 반복해서 적어서 수를 나타내었습니다.

연습

01 다음 메소포타미아 숫자를 인도-아라비아 숫자로 나타내시오.

연습

02 메소포타미아의 수는 인도-아라비아의 수로, 인도-아라비아의 수는 메소포타미아의 수로 나타내시오.

03 다음은 고대 그리스의 수입니다. 물음에 답하시오.

| | | || | ||| | |||| | Γ | ΓΙ | ΓΙΙ |
| 1 | 2 | 3 | 4 | 5 | 6 | 7 |

| ΓΙΙΙ | ΓΙΙΙΙ | Δ | ΔΙ | ΔΙΙ | ΔΔ | ΔΔΔ |
| 8 | 9 | 10 | 11 | 12 | 20 | 30 |

(1) 그리스 숫자를 인도-아라비아 숫자로 나타내시오.

| → ☐   Γ → ☐   Δ → ☐

(2) 그리스의 수는 인도-아라비아의 수로, 인도-아라비아의 수는 그리스의 수로 나타내시오.

ΔΔΙ → ☐   15 → ☐

ΔΔΔΓΙ → ☐   29 → ☐

메소포타미아와 고대 그리스의 수는 숫자를 반복해서 적어서 수를 나타내었어. 그리스의 수는 숫자 5를 만들어서 숫자를 적게 적을 수 있어.

고대의 수 정리

탐구 유형 1-3   로마의 수

고대 로마의 수입니다. 빈칸에 알맞은 로마의 수를 써넣으시오.

I	II	III	IV	V	VI		VIII	IX	X	
1	2	3	4	5	6	7	8	9	10	
XI	XII	XIII		XV	XVI	XVII	XVIII		XX	
11	12	13	14	15	16	17	18	19	20	30

• Point   고대 로마의 수는 앞에서 알아본 그리스의 수와 비슷했지만 4와 9를 쓰는 방법은 달랐습니다.

01 3개의 숫자 I (1), V (5), X (10)으로 1에서 10까지의 로마 수를 적는 방법을 식으로 나타내었습니다. 빈칸에 알맞은 식을 써넣으시오.

I = 1

II = [   ] = 2

III = 1 + 1 + 1 = 3

IV = 5 - 1 = 4

V = 5

VI = [   ] = 6

VII = 5 + 1 + 1 = 7

VIII = 5 + 1 + 1 + 1 = 8

IX = [   ] = 9

X = 10

연습

02 로마의 수는 인도-아라비아 수로, 인도-아라비아 수는 로마의 수로 나타내시오.

XXⅥ ➡ ☐   25 ➡ ☐

XXXⅡ ➡ ☐   36 ➡ ☐

연습

03 다음은 고대 중국에서 막대를 사용하여 나타내었던 수입니다. ☐ 안에 알맞은 인도-아라비아 수를 써넣으시오.

1	2	3	4	5
6	7	8	9	10
11	12	16	18	20
30	40	50	60	70

☰Ⲧ ➡ ☐   ⊥‖ ➡ ☐

2 그림으로 나타낸 수

다음과 같이 모양으로 수를 나타내었습니다.

1 : ○　　2 : ○○　　3 : ●　　4 : ●○

5 : ●○○　6 : ●●　7 : ●●○

다음 수를 같은 규칙으로 나타내시오.

8 : ［　　　　］　　　　13 : ［　　　　］

● Point　서로 다른 모양이 나타내는 수를 먼저 찾아봅니다.

(1) 두 모양이 나타내는 수는 무엇입니까?

○ ［　］　　　● ［　］

(2) 다음 모양이 나타내는 수를 구하시오.

●●● ［　］　　　●●●○○ ［　］

(3) 8과 13을 같은 규칙으로 나타내어 보시오.

연습
01 모양으로 수를 나타내었습니다. 빈칸에 알맞은 그림을 그리시오.

1 : △　　2 : ▽　　3 : ▽△　　4 : ▽ ▽

5 : ［　　　　］　　6 : ▽ ▽ ▽　　7 : ▽ ▽ ▽ △

02 다음은 냥이가 만든 숫자 암호입니다.

1	2	3	4	5	6	7	8	9	10

냥이의 숫자 암호로 27을 나타내시오.

27

03 그림으로 수를 나타내었습니다.

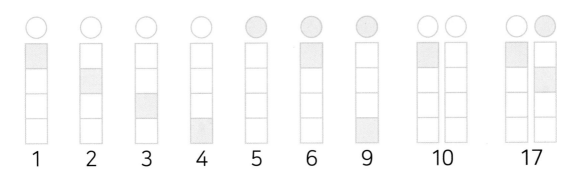

빈칸에 알맞은 수를 써넣으시오.

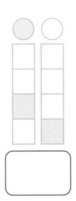

예비활동가이드 1쪽

디지털 숫자

탐구 유형 2-2   **디지털 숫자 탐구**

디지털 시계에 사용되는 숫자는 막대를 붙인 것과 같은 모양입니다.

다음 수를 빈칸을 색칠하여 디지털 숫자로 나타내시오.

• Point ▶ 주어진 디지털 숫자를 직접 관찰하여 색칠합니다.

연습

01 빈칸을 색칠하여 성냥개비 1개를 옮겨서 만들 수 있는 서로 다른 숫자를 모두 나타내시오.

(1)

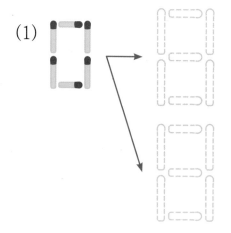

(2)

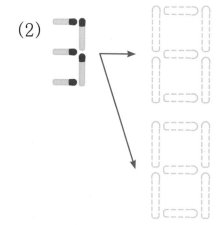

연습
02 빈칸을 색칠하여 성냥개비 1개를 빼서 만들 수 있는 서로 다른 숫자를 모두 나타내시오.

(1)
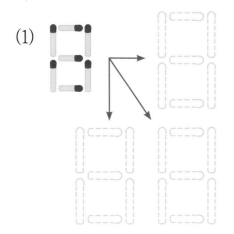

(2)
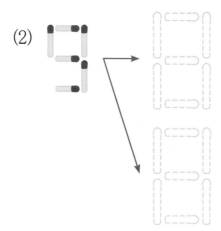

연습
03 빈칸을 색칠하여 성냥개비 1개를 더해서 만들 수 있는 서로 다른 숫자를 모두 나타내시오.

(1)
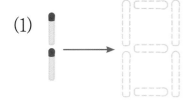

(2)
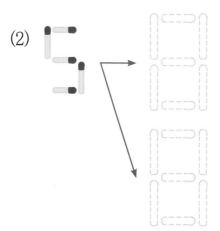

예비 활동 가이드 2쪽

동전 놀이

우리 나라에서 나온 동전은 다음과 같이 6가지가 있습니다.

금액이 같도록 ○ 안에 알맞은 수를 써넣으시오.

 =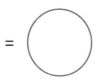

 =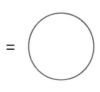

 =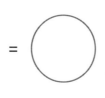

 =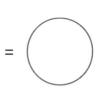

 =

 =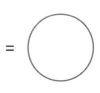

1원짜리 동전과 5원짜리 동전은 현재 사용하고 있지 않아.
수 모형을 대신하여 동전으로 세 자리 수까지 수를 공부해 보자.

💡 동전이 나타내는 금액을 구하시오.

☐ 원

탐구 유형 3-1   저금통은 모두 얼마?

돼지 저금통을 열었더니 다음과 같이 동전이 나왔습니다. 동전을 모두 더한 금액을 구하시오.

● Point   금액이 작은 동전부터 금액이 큰 동전으로 바꾸어서 생각합니다.

(1) 다음 표의 빈칸에 각 동전의 개수를 써넣으시오.

동전	100	50	10	5	1
개수				1	3

(2) 10원짜리 동전을 100원짜리와 50원짜리 동전으로 바꾸었을 때 각 동전의 개수를 써넣으시오.

동전	100	50	10	5	1
개수			3	1	3

(3) 50원짜리 동전을 100원자리 동전으로 모두 바꾸었을 때 각 동전의 개수를 써넣고, 모두 얼마인지 구하시오.

동전	100	50	10	5	1
개수			3	1	3

모두 [ ] 원

연습 01 다음 동전이 나타내는 금액을 구하시오.

(1)

동전	100	50	10	5	1
개수	4	3	9	0	16

모두 [   ] 원

(2)

동전	100	50	10	5	1
개수	1	2	24	2	15

모두 [   ] 원

연습 02 깜이가 가지고 있는 동전으로 거스름돈 없이 공책을 사는데 필요하지 않은 동전에 모두 ○표 하시오.

320원

냥이가 가지고 있는 동전의 금액을 ○ 안에 써넣으시오.

> 동전을 6개 가지고 있는데 모두 310원이고
> 100원, 50원, 10원짜리만 가지고 있어.

○ ○ ○ ○ ○ ○

• Point ▶ 동전의 개수가 가장 적을 때는 100원+100원+100원+10원일 때입니다.

01 100원, 50원, 10원짜리만 사용하여 주어진 개수와 금액에 맞게 동전의 금액을 ○ 안에 써넣으시오.

(1) 7개, 280원

○ ○ ○ ○ ○ ○ ○

(2) 5개, 400원

○ ○ ○ ○ ○

02 10원짜리 동전 78개가 있습니다. 10원짜리를 다른 동전으로 바꾸어 동전의 개수가 가장 적도록 만들 때 각 동전은 몇 개가 되는지 구하시오.

 ☐ 개   ☐ 개   ☐ 개   ☐ 개

TOP 사고력

01 성냥개비 1개를 옮겨서 만들 수 있는 가장 큰 수와 가장 작은 수를 구하시오.

십의 자리를 가장 크게 또는 가장 작게 하는 것이 중요합니다.

가장 큰 수 - ☐   가장 작은 수 - ☐

02 두 주머니에서 나온 동전이 1개씩 가려서 보이지 않습니다. 두 주머니의 동전을 더한 금액이 서로 같을 때, 한 주머니의 동전을 더한 금액은 얼마입니까?

왼쪽에 보이는 동전은 모두 300원, 오른쪽에 보이는 동전은 모두 350원입니다.

동전이 모두 10개

동전이 모두 7개

접는 선

03 다음은 인도-아라비아 수, 그리스 수, 로마 수를 비교한 것입니다. 규칙을 관찰하여 물음에 답하시오.

로마의 수 표기법

- 큰 수의 왼쪽 : 뺄셈

- 큰 수의 오른쪽 : 덧셈

4 →Ⅳ (V - Ⅰ)

6 →Ⅵ (V + Ⅰ)

9 →Ⅸ (X - Ⅰ)

11 →Ⅺ (X + Ⅰ)

아라비아 수	1	2	3	4	5	6	7	8	9	10	50
그리스 수	Ι	ΙΙ	ΙΙΙ	ΙΙΙΙ	Γ	ΓΙ	ΓΙΙ	ΓΙΙΙ	ΓΙΙΙΙ	Δ	Γᐞ
로마 수	Ⅰ	Ⅱ	Ⅲ	Ⅳ	Ⅴ	Ⅵ	Ⅶ	Ⅷ	Ⅸ	Ⅹ	Ⅼ

(1) 그리스 수와 로마 수로 60을 쓰시오.

그리스 수   로마 수

(2) 그리스 수와 로마 수로 40을 쓰시오.

그리스 수   로마 수

TOP

사고력 수학

3. 닮음과 모양 나누기, 붙이기

길이가 2배인 모양 채우기

같은 모양 4개를 붙여서 선의 길이가 모두 2배인 모양을 채우는 방법을 그리시오.

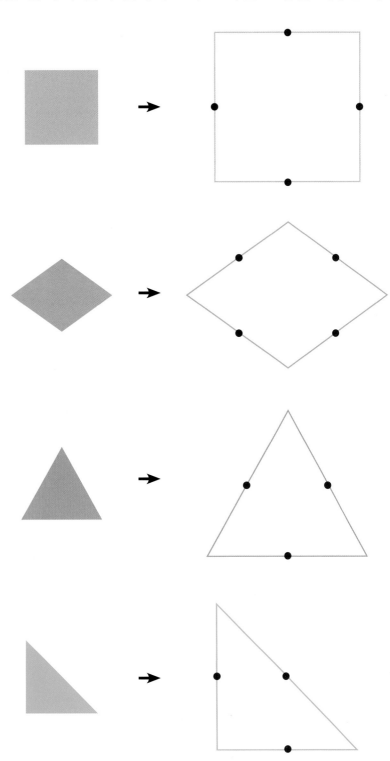

크기와 관계없이 모양이 같으면 닮은 모양이라고 해.

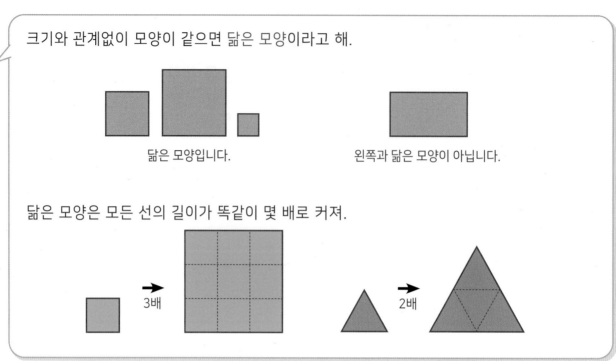

닮은 모양입니다.

왼쪽과 닮은 모양이 아닙니다.

닮은 모양은 모든 선의 길이가 똑같이 몇 배로 커져.

3배

2배

🌱 다음 중에서 다른 것과 닮은 모양이 아닌 것에 ×표 하시오.

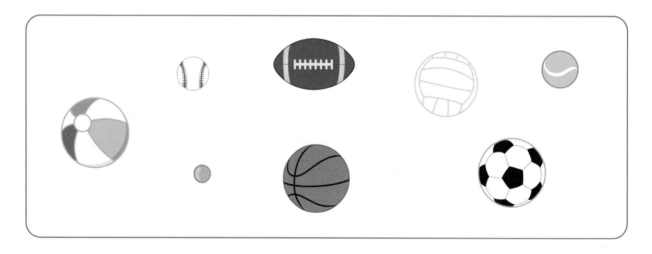

🌱 우리 주위에 서로 닮은 모양인 것을 찾아보시오.

1 닮은 모양

탐구 유형 1-1   닮은 모양 채우기

주어진 모양 4개로 길이가 2배인 닮은 모양을 채우는 방법을 나타내시오.

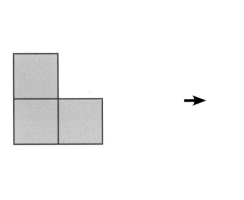

● Point▷ 여러 가지 방법으로 직접 채워 봅니다.

연습

01 주어진 모양 4개로 길이가 2배인 닮은 모양을 채우는 방법을 나타내시오.

(1)

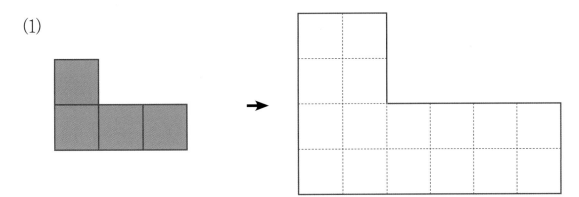

(2)

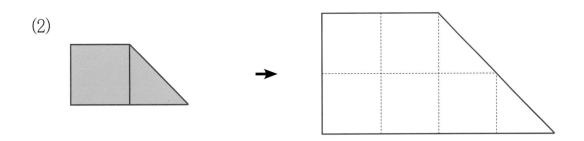

탐구 유형 1-2 　닮은 모양 그리기

모양의 길이를 모두 2배로 늘린 닮은 모양을 그릴 수 있습니다.

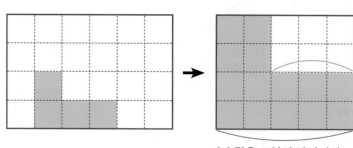

(X) 닮은 모양이 아닙니다.
파란색 부분이 4칸, 빨간색
부분이 6칸이 되어야 닮은 모양입니다.

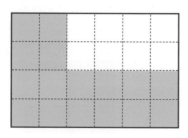

(O) 닮은 모양입니다.
모든 길이가 2배입니다.

모든 길이를 2배로 늘린 모양을 그리시오.

(1)
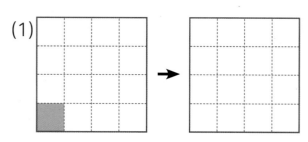

(2)
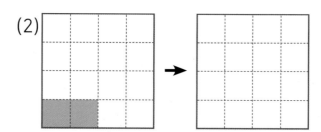

(3)
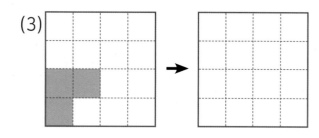

(4)
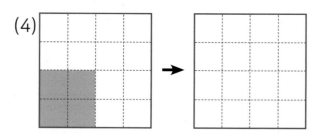

• Point ▶ 모양을 둘러싼 길이가 모두 2배가 되도록 그려 봅니다.

연습
01 모든 길이를 2배로 늘린 모양을 그리시오.

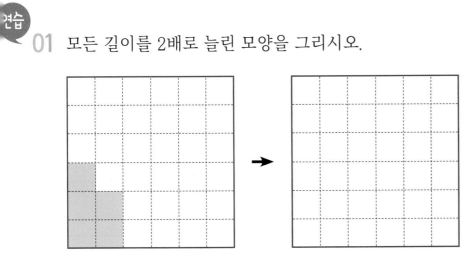

연습
02 모든 길이를 반으로 줄인 모양을 그리시오.

(1)

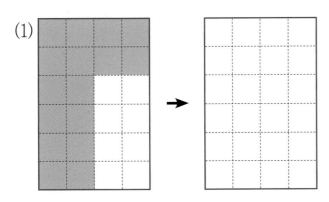

(2)

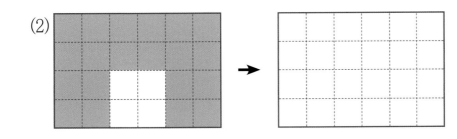

03 모든 길이를 2배로 늘린 모양을 그리시오.

(1)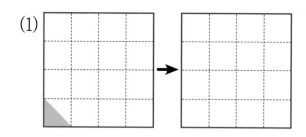

(2)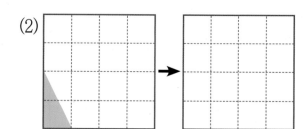

(3)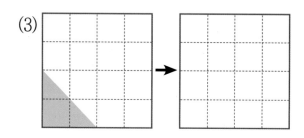

(4)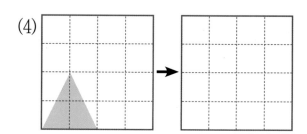

04 모든 길이를 반으로 줄인 모양을 그리시오.

(1)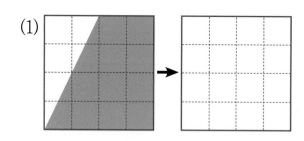

(2)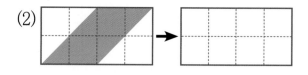

같은 모양
나누기

다음 모양을 선을 따라 같은 모양 2개로 자르려고 합니다.

이 모양을 같은 모양 2개로 나누려면 반드시 빨간색
선이 지나게 잘라야 합니다.

같은 모양 2개로 자르는 선을 완성하시오.

   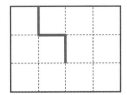

   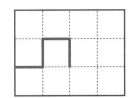

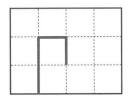

💡 서로 다른 방법으로 같은 모양 2개로 나누는 선을 완성하시오.

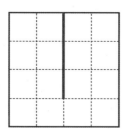 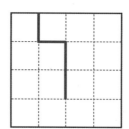 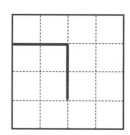

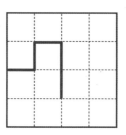 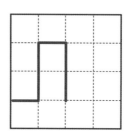 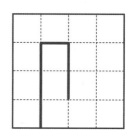

💡 위에서 찾은 모양을 더 나누어 같은 모양 4개를 만들 수 있는 방법을 나타내시오.

 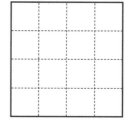

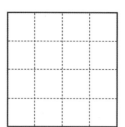 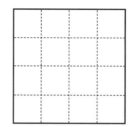

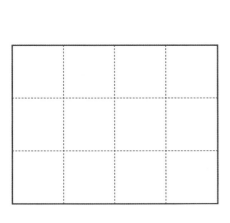 모양 4개로 아래 모양을 채우는 방법을 그림으로 나타내시오.

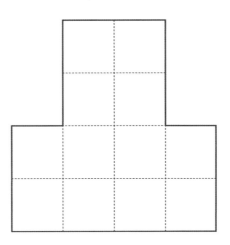

● Point　잘못 그린 그림은 지우개로 지우면서 찾아봅니다.

01 주어진 모양과 개수로 나누는 선을 그리시오.

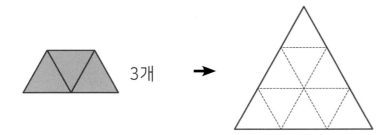

02 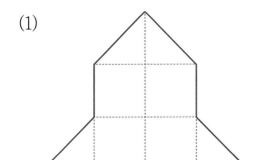 모양 4개로 채우는 방법을 그림으로 나타내시오.

(1)　　　　　　　　　　　　　　　(2)

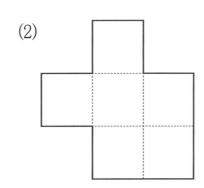

연습

03 주어진 모양 4개로 큰 모양을 채우는 방법을 그림으로 나타내시오.

(1)

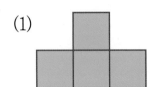

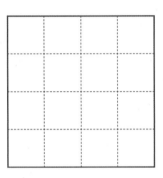

(2)

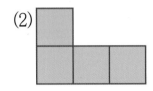

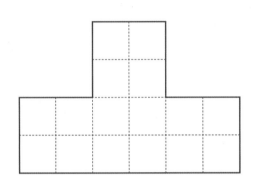

연습

04 주어진 모양으로 큰 모양을 채우려고 합니다. 최대한 많이 채우는 방법을 그리시오.

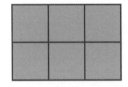

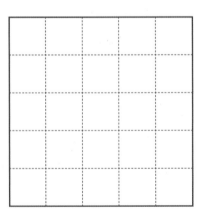

탐구 유형 2-2 **포함하여 나누기**

초콜릿과 초콜릿 위의 사탕을 4명이 1개씩 나누어 먹으려고 합니다. 같은 모양으로 나누어 먹도록 자르는 선을 그리시오.

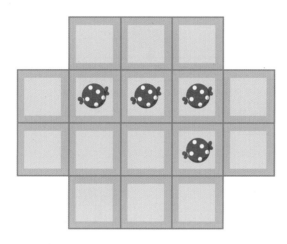

• Point ▷ 네모 몇 칸이 붙은 모양으로 나누면 좋을지 먼저 생각해 봅니다.

01 초콜릿과 초콜릿 위의 사탕을 3명이 1개씩 나누어 먹으려고 합니다. 같은 모양으로 나누어 먹도록 자르는 선을 그리시오.

(1)

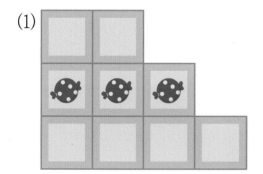

(2)

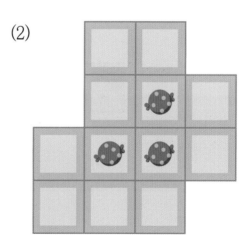

연습

02 소현이와 지훈이네 가족이 텃밭에 채소를 가꾸려고 합니다. 네 가족의 팻말이 하나씩 포함되도록 땅을 같은 모양으로 나누는 선을 그리시오.

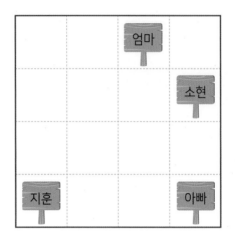

연습

03 네 사람이 보물상자를 하나씩 가질 수 있도록 땅을 같은 모양으로 나누는 선을 그리시오.

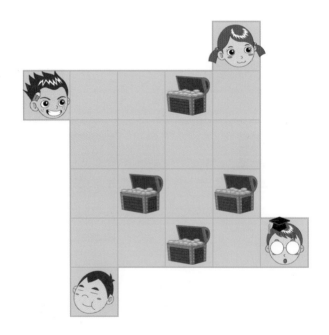

그림을 모양이 같은 네 조각으로 나누었습니다. 그림을 나눈 조각이 아닌 것을 고르시오.

①  ② 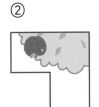 ③ 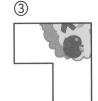 ④ 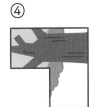 ⑤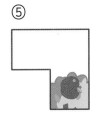

• Point 조각을 돌린 모양으로 생각해 봅니다.

연습

01 다음 그림을 선을 따라 자른 것이 아닌 것을 고르시오.

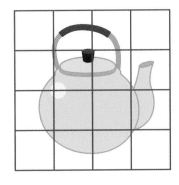

① 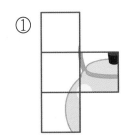 ② 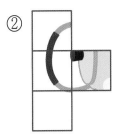 ③ 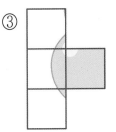 ④ 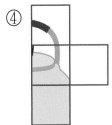 ⑤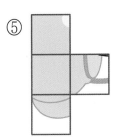

탐구 유형 2-4   **개수만큼 나누기**

세모 모양을 조각의 개수에 맞게 같은 모양으로 나누는 선을 그리시오.

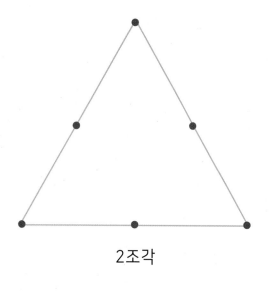

2조각

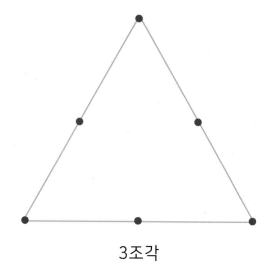

3조각

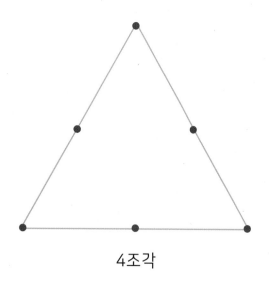

4조각

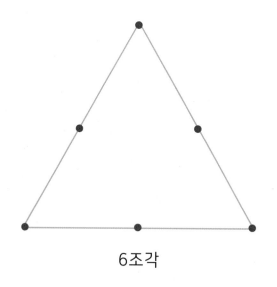

6조각

• Point ▶ 그림 위의 점을 이용합니다.

01 색종이를 같은 모양 3개로 나누는 선을 그리시오.

02 다음 모양을 주어진 조각의 개수에 맞게 나누려고 합니다. 같은 모양으로 나누는
선을 그리시오.

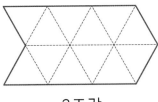

2조각

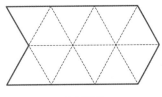

3조각

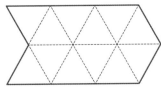

4조각

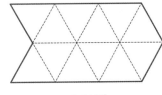

6조각

TOP 사고력

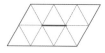

나누는 선이 그림의 굵은 선을 반드시 지나게 됩니다.

01 다음 모양을 서로 다른 방법으로 같은 모양의 2조각으로 나누는 선을 그리시오.

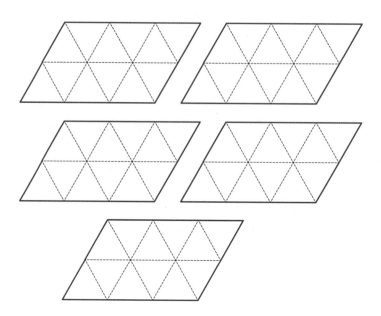

모양만 가장 많이 채우면 1칸이 남습니다.

02 조건에 맞게 주어진 두 모양으로 오른쪽 모양을 채울 때, 모양의 개수를 구하시오.

- 빈칸이 없도록 채웁니다.

- 모양을 최대한 많이 사용합니다.

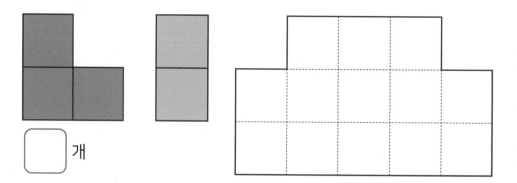

개

03 8명이 케이크를 똑같이 나누어 먹으려고 하는데 먼저 그림과 같이 케이크를 2번 잘랐습니다. 케이크를 한 번 더 자르는 방법을 나타내시오.

이미 잘라진 4조각을 모두 자르는 방법이 있습니다.

TOP of TOP

04 다음은 주어진 모양을 같은 모양 6개로 나누는 방법 중 한가지입니다.

모양을 2조각 또는 3조각으로 먼저 나누어 봅니다.

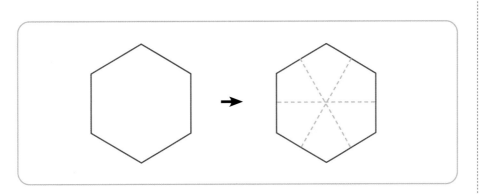

위와 다른 방법으로 같은 모양 6개로 나누는 선을 그리시오.

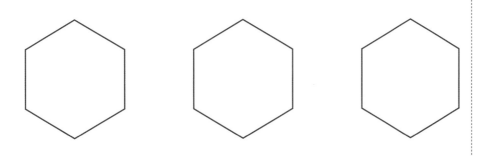

TOP 사고력 수학

4. 모양 바꾸기

두 가지 지하철 노선도

지하철 역에 가면 아래와 같이 두 가지 지하철 노선도를 볼 수 있습니다.

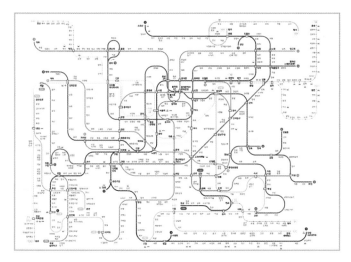

실제로는 오른쪽과 같이 지도 위에 표시한 지하철 노선과 역의 위치가 정확하지만 왼쪽의 노선도를 더 많이 사용합니다.

서로 다른 두 지하철 노선도에 똑같은 것은 무엇입니까?

실제 위치를 바꾸어 그린 왼쪽 지하철 노선도를 더 많이 사용하는 이유는 무엇입니까?

두 지하철 노선도와 같은 그림을 연결 상태가 같은 모양이라고 해.

지도 위에 그린 노선도는 노선과 지하철 역의 위치가 정확하지만, 노선이 밀집한 곳은 알아보기가 힘들고 멀리 떨어진 곳까지 있기 때문에 노선도의 크기가 너무 커.

그래서, 노선과 노선 위의 역이 바뀌지 않으면서 알아보기 쉽게 그림을 바꾼 것이 왼쪽의 지하철 노선도야.

선을 늘리고 구부려서 같아질 수 있는 두 모양을 연결 상태가 같은 모양이라고 하는데 두 지하철 노선도가 대표적인 연결 상태가 같은 모양이지.

🌱 다음은 두 가지 색깔의 지하철 노선을 여러 가지로 그린 것입니다. 나머지와 다른 그림 하나를 고르시오.

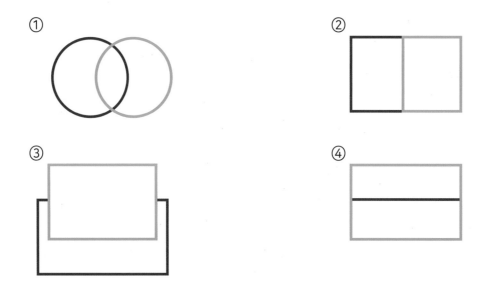

1 옮겨서 모양 바꾸기

예비활동가이드 3쪽

모양 바꾸기

다음은 나무 막대로 만든 모양 옆에 거울을 놓고 본 그림입니다. 왼쪽 모양에서 나무 막대를 최소로 옮겨서 거울에 비친 모양과 같은 모양을 만드는 방법을 알아봅시다.

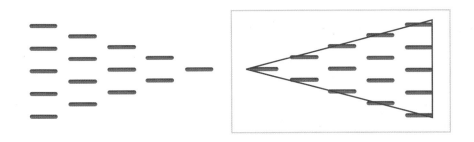

왼쪽 모양 위에 거울에 비친 모양을 세모로 생각하고 여러 가지로 원래 그림 위에 그려 보았습니다. 각각 옮겨야 하는 나무 막대의 개수를 구하시오.

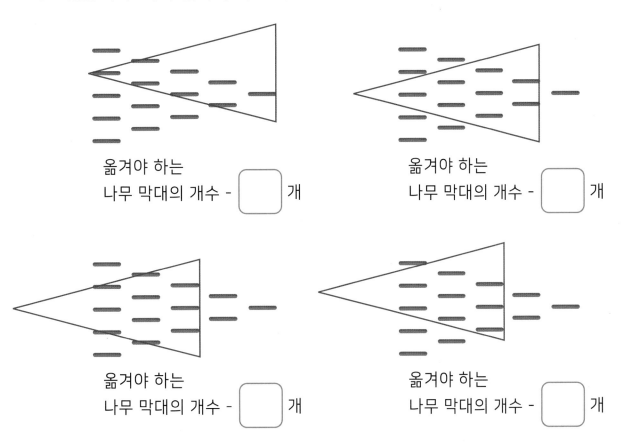

옮겨야 하는
나무 막대의 개수 - ☐ 개

옮겨야 하는
나무 막대의 개수 - ☐ 개

옮겨야 하는
나무 막대의 개수 - ☐ 개

옮겨야 하는
나무 막대의 개수 - ☐ 개

💡 거울에 비친 모양을 만들기 위해서 가장 적게 옮길 수 있는 나무 막대의 개수는 몇 개입니까?

모양을 옮겨서 다른 모양을 만들 때는 원래 모양 위에 만들 모양을 여러 가지로 그려 보거나, 원래 모양과 만들 모양을 서로 비교하면서 답을 찾으면 편리해.

💡 다음은 모양의 나무 막대를 최소로 옮겨서 오른쪽으로 뒤집어진 모양을 만들려고 합니다. 옮겨야 하는 나무 막대의 개수를 구하시오.

최소로 옮겨야 하는 나무 막대의 개수 ☐ 개

최소로 옮겨야 하는 나무 막대의 개수 ☐ 개

최소로 옮겨야 하는 나무 막대의 개수 ☐ 개

탐구 유형 1-1 　　**모양 바꾸기**

나무 막대 3개를 옮겨서 모양이 아래로 뒤집어지도록 하려고 합니다. 옮겨야 하는 나무 막대에 ×표 하시오.

• Point 뒤집어진 모양을 그려 봅니다.

(1) 위의 모양이 아래로 뒤집어진 모양을 그리시오.

(2) 위의 모양 위에 뒤집어진 모양을 여러 가지로 그려 보고 옮겨야 하는 나무 막대에 ×표 하시오.

01 나무 막대 1개를 옮겨서 오른쪽과 왼쪽이 바뀐 집 모양을 만들어 보시오.

 02 나무 막대를 옮겨서 왼쪽을 보고 있는 열대어를 조건에 맞게 바꾸어 보시오.

(1) 나무 막대 2개를 옮겨서
위를 보고 있는 열대어를 만드시오.

(2) 나무 막대 3개를 옮겨서
오른쪽을 보고 있는 열대어를 만드
시오.

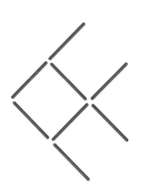

 03 다음은 깜이가 나무 막대로 만든 수 98입니다. 나무 막대 1개를 옮겨서 냥이가 거
꾸로 보고 있는 수가 98이 되도록 만들어 보시오.

탐구 유형 1-2   **모양 개수 바꾸기**

나무 막대 15개를 사용해서 크기가 같은 네모 모양 5개를 만들었습니다. 이 모양의 나무 막대 3개를 빼서 같은 크기의 네모 모양이 3개만 남도록 하려고 합니다. 빼야 하는 나무 막대에 ×표 하시오.

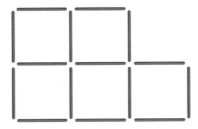

• Point ▶ 남는 나무 막대의 개수를 먼저 세어 봅니다.

(1) 네모 모양 1개를 만드는데 필요한 나무 막대의 개수는 몇 개입니까?

(2) 나무 막대 3개를 빼고 남은 나무 막대는 몇 개입니까?

(3) 나무 막대의 개수로 남은 네모 모양 3개가 서로 붙어 있으면 안 된다는 것을 알 수 있습니다. 빼야 하는 나무 막대에 ×표 하시오.

연습

01 나무 막대 11개를 사용해서 크기가 같은 세모 모양 5개를 만들었습니다. 이 모양의 나무 막대 2개를 빼서 크기가 같은 세모 모양 3개가 남도록 만들려고 합니다. 빼야 하는 나무 막대 2개에 ×표 하시오.

나무 막대로 모양을 만드는 문제는 모양을 만들지 않는 불필요한 나무 막대가 남으면 안돼.

옮겨서 모양 바꾸기

예비활동 가이드 5쪽

다른 모양 만들기

탐구 유형 1-3   네모 만들기

왼쪽 모양을 한 번 자르고 옮겨 붙여서 네모 모양을 만들었습니다.

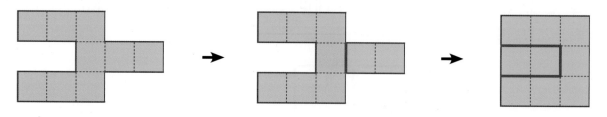

마찬가지로 두 번째 모양에는 자르는 선을, 세 번째 모양에는 붙인 선을 그리시오.

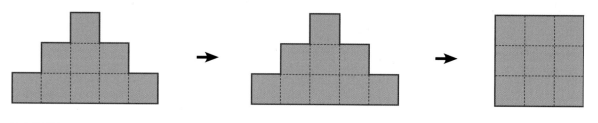

• Point 자르기 전 모양에 만들어야 하는 네모 모양을 겹쳐서 그려 봅니다.

연습

01 왼쪽 모양을 한 번 잘라서 나오는 조각을 붙여서 오른쪽 모양을 만들려고 합니다.
    왼쪽 모양에는 자르는 선을, 오른쪽 모양에는 붙인 선을 그리시오.

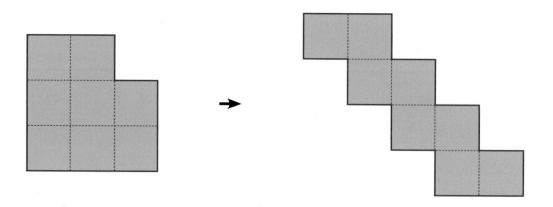

연습
02 아래 모양을 한 번 잘라서 나오는 조각을 붙여서 ☐ 안의 모양을 만들려고 합니다.
각 모양에 자르는 선을 그리시오.

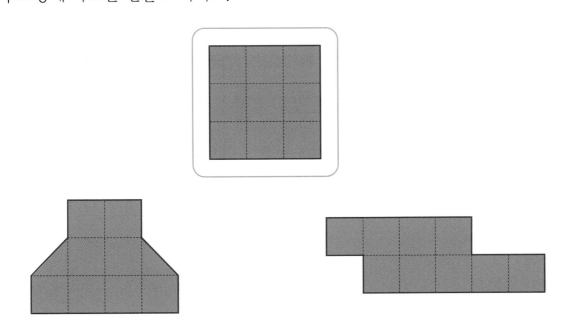

연습
03 ☐ 안의 모양을 한 번 잘라서 나오는 조각을 붙여서 만들 수 없는 것을 고르시오.

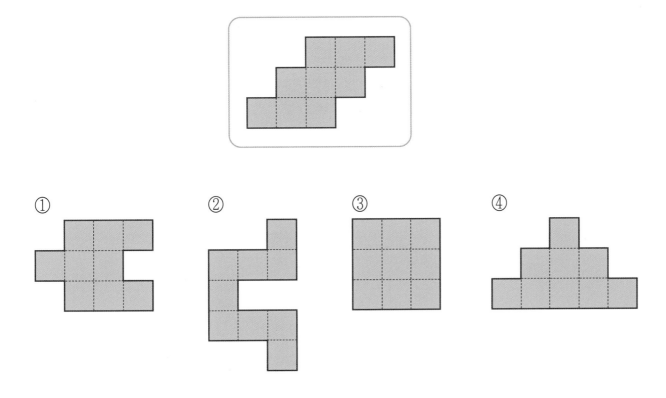

① ② ③ ④

연결 상태 활동

깜이가 동그란 자석에 막대를 연결해서 모양을 만들었습니다.

깜이는 만든 모양의 자석이나 막대를 떼어내거나 새로운 자석이나 막대를 연결하지 않고 자석에 연결한 막대를 움직여서 다른 모양을 만들어 보았습니다.

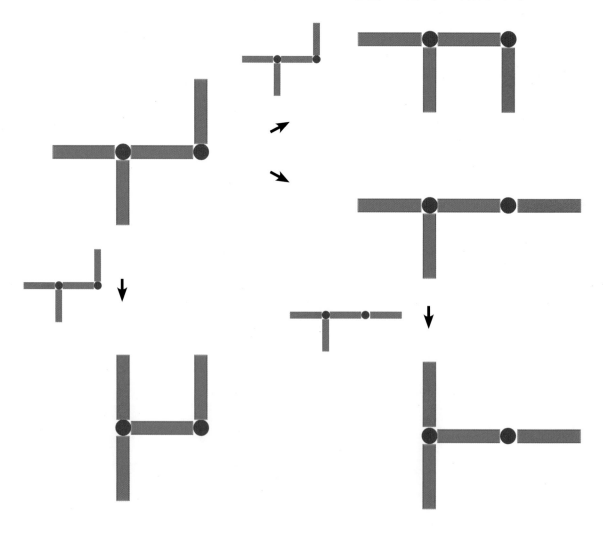

깜이가 막대를 움직여서 만든 모양들은 자석에 연결한 막대의 개수가 모두 같습니다.

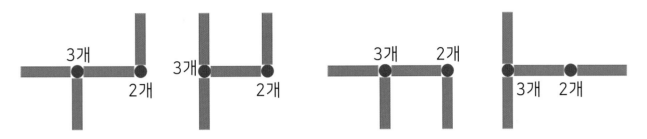

자석이나 막대를 떼거나 붙이지 않고 연결된 부분을 그대로 유지하여 움직인 모양은 모두 연결 상태가 같은 모양이야.
막대 대신 고무줄을 사용하면 선이 늘어나거나 줄어들 수도 있어.

💡 냥이가 동그란 자석과 막대로 만든 여러 가지 모양입니다. 자석이나 막대를 떼어내거나 새로운 자석이나 막대를 붙이지 않고 자석에 붙은 막대를 움직여서 똑같이 만들 수 있는 모양끼리 선으로 이으시오.

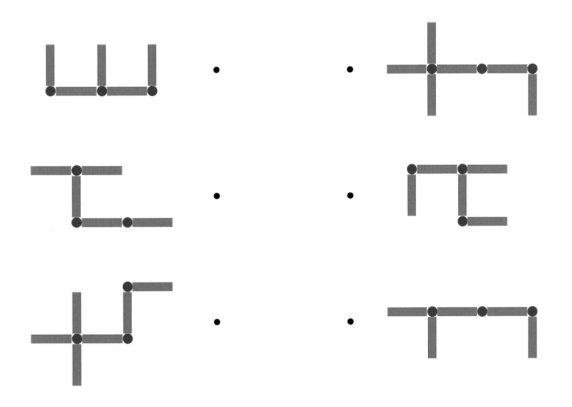

탐구 유형 2-1   고무줄로 글자 만들기

고무줄을 묶어서 글자를 만들었습니다.

① ② ③ ④

다음 중 위의 고무줄을 자르거나 붙이지 않고 움직여서 만들 수 있는 글자를 찾아 번호를 써넣으시오.

• Point ▶ 먼저, 고무줄의 매듭을 비교해 보고 선을 구부려서 똑같이 만들 수 있는지 생각해 봅니다.

연습

01 다음은 고무줄로 만든 글씨입니다. 고무줄을 자르거나 붙이지 않고 움직여서 만들 수 있는 글자를 고르시오.

①

② ㅈ

③ ㅌ

④ ㅕ

02 고무줄로 숫자 '4'를 만들었습니다. 고무줄을 자르거나 붙이지 않고 움직여서 만들 수 있는 알파벳에 ○표 하시오.

4

F H O P
Q T X Y

03 다음은 고무줄로 만든 모양입니다. 고무줄을 자르거나 붙이지 않고 움직여서 만들 수 있는 모양끼리 선으로 이으시오.

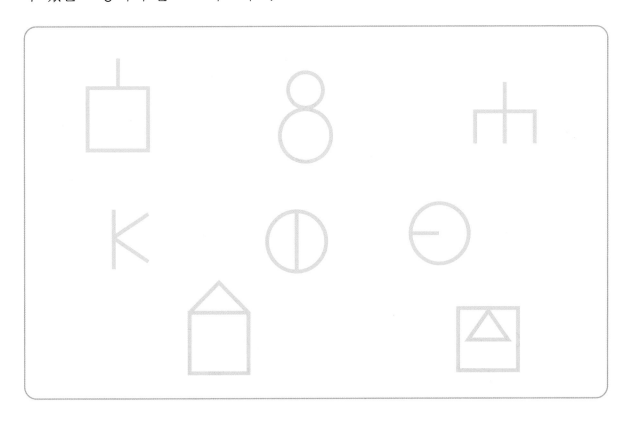

2 연결 상태가 같은 모양

다음은 부산의 지하철 노선도입니다.

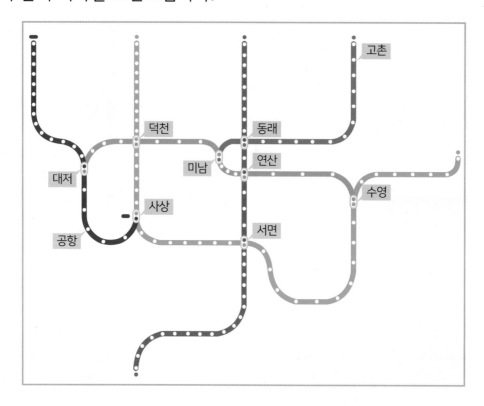

노선의 색깔이 다른 역을 가려면 지하철을 갈아타야 합니다. 노선과 노선이 만나는 역은 모두 지하철을 갈아탈 수 있는 역입니다.

출발역	도착역	갈아타야 하는 역
덕천	서면	갈아탈 필요가 없습니다.
덕천	동래	미남 또는 연산

(1) '공항'역에서 출발하여 가장 적게 갈아타서 '고촌'역까지 가기 위해 갈아타야 하는 역의 이름을 순서대로 쓰시오.

(2) '공항'역에서 출발하여 '수영'역까지 가는데 사이에 역을 가장 적게 지나서 가려고 합니다. 중간에 갈아타는 역을 모두 쓰시오.

● Point ▶ 서로 다른 색깔이 만나는 역은 갈아타는 역입니다.

 01 다음 중 부산 지하철 노선도에서 색깔로 나타낸 두 노선의 연결 상태가 다른 하나를 고르시오.

① ——— 과 ———

② ——— 과 ———

③ ——— 과 ———

④ ——— 과 ———

 02 다음은 수도권 지하철 노선도의 일부입니다. 깜이와 냥이가 남한산성입구역에서 출발하여 경찰병원역을 가려고 합니다. 물음에 답하시오.

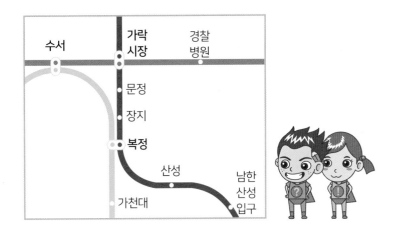

(1) 적은 횟수로 갈아타고 갈 때 갈아타는 역의 이름을 쓰시오.

(2) 사이에 역을 가장 적게 지나서 갈 때 갈아타는 역의 이름을 쓰시오.

TOP 사고력

빨간색으로 표시한 막대
2개를 옮겨 봅니다.

01 나무 막대 4개로 만든 쓰레기통 모양 안에 쓰레기가 있는 그림입니다. 나무 막대 2개를 옮겨서 쓰레기가 쓰레기통 밖에 있는 모양을 만들어 보시오.

크고, 작은 세모 모양 5
개를 만들어야 합니다.

02 나무 막대 3개를 움직여서 세모 모양 5개를 만드는 방법을 나타내시오.

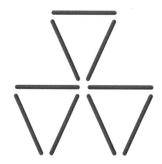

접
는
선

03 오른쪽 그림은 고무줄을 자르고 묶어서 만든 모양입니다. 고무줄을 자르거나 붙이지 않고, 늘리고 줄여서 여러 가지 모양을 만들고 이름을 붙여 보시오.

고무줄이 자유롭게 늘어나거나 줄어든다고 생각하고 다양하게 생각해 봅니다.

탁자

TOP of TOP

04 왼쪽 모양을 5조각으로 자른 조각을 붙여서 오른쪽 모양을 만들었습니다. 왼쪽 모양 위에 자른 선을 그리시오.

왼쪽 모양에 오른쪽 그림과 같이 크기와 모양이 같은 세모 모양 4개를 자를 수 있도록 네모 모양을 여러 가지로 그려 봅니다.

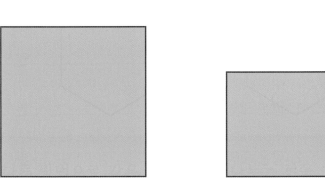

접는 선

4. 모양 바꾸기 79

TOP
사고력 쑥쑥

학습주제를 시작할 때 학습 날짜를 기록하면서 전체 학습 진도 상황을 체크해 보세요.

1. 수와 숫자

01 백판 수 배열표의 일부입니다. 색칠된 칸에 알맞은 수를 써넣으시오.

(1)

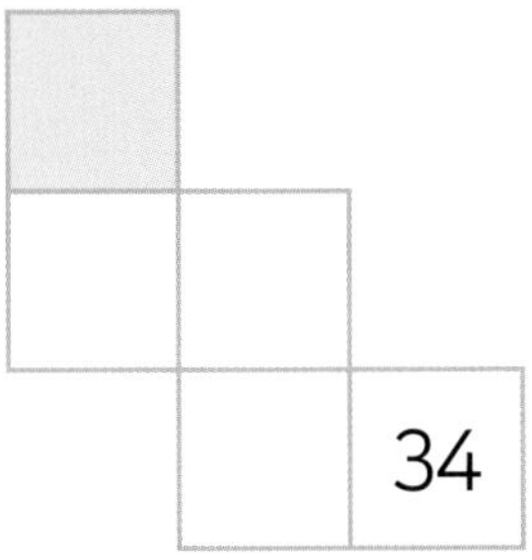

(2)

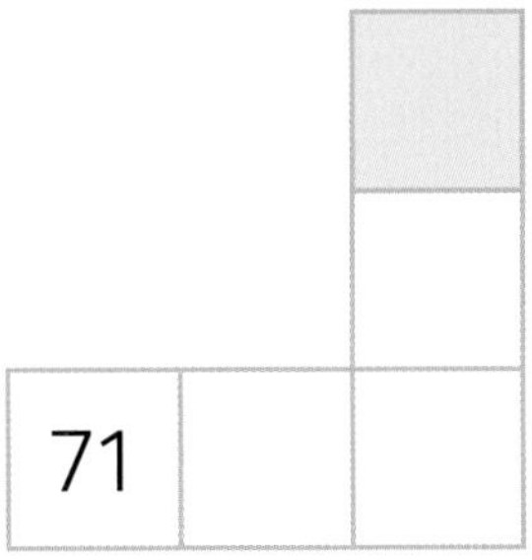

34

71

! 유형1
수가 왼쪽이나 오른쪽 칸으로 이동할 때는 1 차이가 나고 위나 아래 칸으로 이동할 때는 10 차이가 납니다.

02 다음과 같은 규칙으로 화살표만큼 수가 커지고, 작아질 때 □ 안에 알맞은 수를 써넣으시오.

↑ : 10 작은 수   ↓ : 10 큰 수   ← : 1 작은 수   → : 1 큰 수

28 → ↓ ← ↑ ← □

! 유형1-1
방향이 반대인 화살표는 둘씩 짝지어 없앨 수 있습니다.

접는선

유형 1-2
화살표를 짝지어 없애 보면 직접 수를 구하지 않고도 알 수 있습니다.

03 백판 위의 수를 화살표만큼 차례로 이동할 때 빈칸에 들어갈 수가 같은 것을 고르시오.

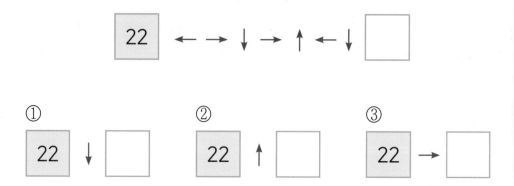

유형 1-1, 1-2
80에 도착하는 다른 방법을 찾습니다.

04 백판 수 배열표의 68에서 ◯ 안의 화살표만큼 이동해서 도착하는 수에 똑같이 도착하도록 3가지 방법으로 ◯ 안에 화살표를 하나씩 그려 넣으시오.

57	58	59	60
67	68	69	70
77	78	79	80
87	88	89	90

↓ ↓ → → ↑

방법 1 ◯ ◯ ◯

방법 2 ◯ ◯ ◯

방법 3 ◯ ◯ ◯

접는 선

05 백판 위의 수를 화살표만큼 차례로 이동하여 도착한 수를 보고 처음 출발한 수를 써넣으시오.

❗ 유형 1-2
화살표를 짝지어 없애고 남는 화살표의 방향을 반대로 생각합니다.

(1)

(2)

06 다음은 백판 수 배열표의 일부입니다. 이 수 배열표에서 가장 큰 수가 37입니다. 가장 작은 수를 구하시오.

❗ 유형 1-1, 1-2
백판 수 배열표에서 오른쪽 칸으로 갈수록, 아래쪽 칸으로 갈수록 수가 커집니다.

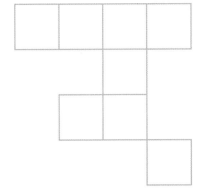

유형 1-3

먼저 서로 방향이 반대인 화살표를 짝지어 지웁니다.

07 다음과 같은 규칙으로 화살표만큼 수가 커지고, 작아질 때 □ 안에 알맞은 수를 써넣으시오.

↑ : 6 작은 수   ↓ : 6 큰 수   ← : 2 작은 수   → : 2 큰 수

12 → ↓ ← ↓↑ ← □

유형 1-3

표에서 ↑와 ↓방향으로는 수가 20씩 커지거나 작아집니다.

08 표를 보고 규칙을 찾아 □ 안에 알맞은 수를 써넣으시오.

11	13	15
31	33	35
51	53	55

(1) 50 ↓ → ← ↑ → ↑ □

(2) □ → ↑ ↓ → ← 73

09 □ 안에 알맞은 수의 개수를 써넣으시오.

(1) 6에서 12까지의 수의 개수 : ☐ 개

(2) 11에서 19까지의 수의 개수 : ☐ 개

❗ 유형2
6에서 12까지의 수의 개수는 1에서 12까지의 수에서 1에서 5까지의 수를 빼면 됩니다.

10 다음은 범위에 맞는 수의 개수를 구하는 과정입니다. 물음에 답하시오.

❗ 유형2
4에서 10까지의 수의 개수는 10-3=7(개)입니다.

> 8보다 크고, 20보다 작은 수의 개수 구하기
>
> ➤ 8보다 크고, 20보다 작은 수는 ▲ 에서 ★ 까지의 수입니다.
>
> ➤ 따라서, 가장 큰 수인 ★ 에서 ▲ 보다 작은 수를 모두 빼서 수의 개수를 구할 수 있습니다.

(1) ▲ 와 ★ 이 나타내는 수를 구하시오.

▲ = ☐   ★ = ☐

(2) 8보다 크고, 20보다 작은 수는 몇 개입니까?

! 유형 2-1

6박 7일간의 여행은 출발하는 날부터 도착하는 날까지를 세면 7일 이고, 여섯(6) 밤을 잔다는 뜻입니다.

11 춘하는 동해로 6박 7일간 가족 여행을 갔습니다. 1월 12일에 집에서 떠났다면 춘하네 가족이 돌아오는 날은 몇 월 며칠입니까?

! 유형 2-1

방법1
5부터 13까지 개수를 센 다음 25에서 뺍니다.

방법2
5보다 작은 수와 13보다 큰 수를 더합니다.

12 1부터 25까지 차례대로 숫자가 적힌 도미노를 세웠습니다. 5번 도미노를 건드려서 13번 도미노까지 넘어졌을 때, 서 있는 도미노의 개수는 몇 개입니까?

접
는

선

13 모두 23명이 서 있는 줄에 민호가 서 있습니다. 민호 뒤에 4명이 서 있을 때 민호 앞에 서 있는 사람은 모두 몇 명인지 구하시오.

⚠ **유형 2-2**
(민호 앞에 있는 사람의 수)+(민호)+(민호 뒤에 서 있는 사람의 수)=23

1-3. 숫자의 개수 | 14~16

14 91에서 100까지의 수를 모두 쓰면 숫자를 몇 개 적게 됩니까?

⚠ **유형 3-1**
100은 숫자가 3개입니다.

접는 선

유형 3-1

3, 13, 23, ...

15 1부터 어떤 수까지 차례로 적은 후 숫자 3을 세어보니 8개입니다. 마지막으로 적은 수를 구하시오.

유형 3-1

1에서 9까지의 수는 숫자가 9개입니다.

16 1부터 차례로 수를 쓰는데 자판을 모두 15번 눌렀습니다. 마지막으로 쓴 수는 얼마입니까?

접
는
선

2. 여러 가지 수

01 다음은 냥이네 반에서 반장 선거를 한 결과를 선생님이 칠판에 나타낸 것입니다.

유형1
1에서부터 차례로
一, 丅, 下, 疋, 正 를
반복합니다.

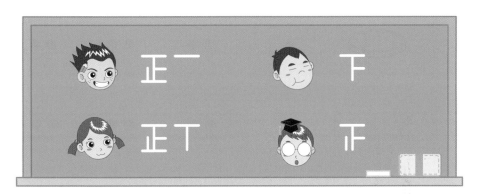

네 명이 받은 표를 수로 나타내었습니다. 빈칸에 알맞은 수를 써넣으시오.

반장 후보				
표	6		3	

02 다음은 고대 이집트 수입니다.

유형 1-2, 1-3
고대 이집트 수는 1과 10을 나타내는 숫자를 반복해서 99까지의 수를 나타낼 수 있습니다.

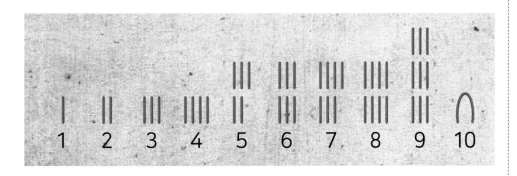

고대 이집트의 수를 인도-아라비아 수로 나타내시오.

유형 1-2, 1-3
고대 마야 수는 숫자 0,
1, 5만 사용했습니다.

03 다음은 고대 마야에서 사용된 수입니다. 빈칸에 알맞은 수를 그려 넣으시오.

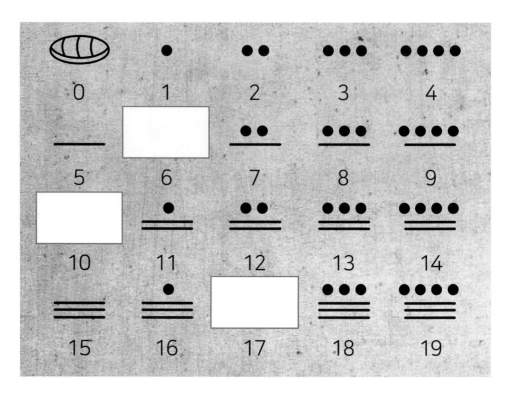

유형 1-3
4와 9를 표현하는 방법
에 유의해서 계산합니다.

04 고대 로마의 수를 보고 식을 계산하여 □ 안에 알맞은 수를 로마 숫자로 나타내시오.

수	1	2	3	4	5	6	7	8	9	10
모양	I	II	III	IV	V	VI	VII	VIII	IX	X

수	11	12	15	20
모양	XI	XII	XV	XX

(1) VII + IX → ▢   (2) XIII + XI → ▢

접는
선

05 옛날 사람들이 사용하던 계산 도구인 주판을 보고 주판을 색칠하여 수를 나타내시오.

! 유형 1-2, 1-3
위의 주판알은 내려올 때, 아래의 주판알은 올라갈 때 수를 나타냅니다.

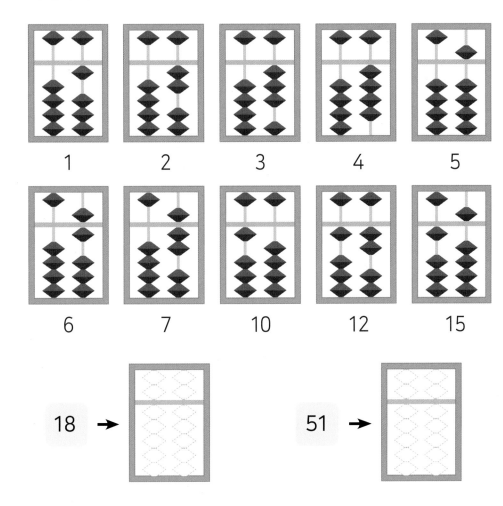

2-2. 그림으로 나타낸 수 | 06~12

06 도형으로 수를 나타내었습니다. 빈칸에 알맞은 그림을 그리시오.

! 유형 2-1
1과 2가 나타내는 모양으로만 다른 수를 만들었습니다.

1	2	3	4	5	6	7	...
一	丨	十	丨丨	卄		卅	...

유형 2-1

검은돌은 0개 또는 1개 사용합니다.

07 다음과 같은 규칙으로 바둑돌로 수를 나타내었습니다.

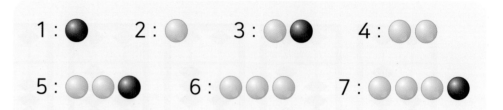

같은 규칙으로 수를 나타낼 때 흰 바둑돌 6개가 필요한 수를 모두 쓰시오.

유형 2-1

P(=3)를 최대한 많이 쓰고, 1이 남으면 T(=1), 2가 남으면 O(=2)를 씁니다.

08 규칙을 찾아 빈칸에 알맞은 글자를 써넣으시오.

1	2	3	4	5	6	7	…	10
T	O	P	PT	PO	PP	PPT	…	

접는 선

09 그림으로 수를 만들었습니다. 빈칸에 알맞은 수를 써넣으시오.

 유형 2-1
양쪽 위로 칸이 하나
더 생길 때마다 몇씩
커지는지 살펴봅니다.

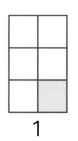
1

2

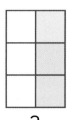
3

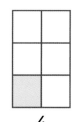
4

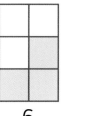
5

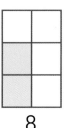
6

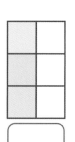
8

10 막대를 사용하여 다음과 같은 모양을 만들었습니다, 막대 1개를 빼서 만들 수 있는 수를 모두 쓰시오.

유형 2-2
사용한 막대는 모두 6개
입니다.

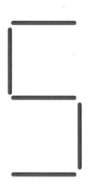

11 다음과 같은 모양으로 숫자를 5를 만들었습니다, 막대를 2개를 옮겨서 만들 수 있는 수를 쓰시오.

12 다음과 같은 모양으로 성냥개비로 숫자를 나타낼 때 성냥개비 6개를 사용하여 만들 수 있는 가장 큰 두 자리 수를 나타내시오.

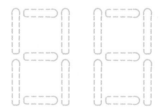

유형 2-2
사용한 막대의 개수는 변하지 않습니다.

유형 2-2
가장 큰 십의 자리 숫자를 먼저 생각합니다.

13 100원 짜리의 개수가 가능한 많도록 100원 짜리, 10원 짜리 동전으로 바꾸려고 합니다. □ 안에 알맞은 동전의 개수를 써넣으시오.

→ 100 □ 개, 10 □ 개

14 깜이가 가지고 있는 동전을 나타낸 것입니다. 깜이가 거스름돈 없이 물건 값을 낼 수 있는 물건에 모두 ○표 하시오.

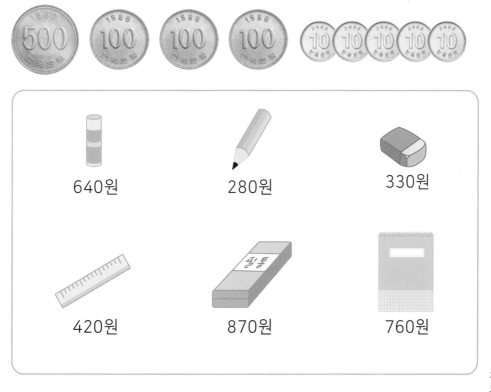

640원   280원   330원

420원   870원   760원

접는 선

 유형 3-1

가장 큰 금액은 동전의 금액이 큰 순서부터 5개의 동전 금액을 더하면 됩니다.

15 다음과 같이 동전이 있을 때 동전 5개로 만들 수 있는 가장 큰 금액과 가장 작은 금액을 각각 구하시오.

가장 큰 금액 = ☐ 원

가장 작은 금액 = ☐ 원

 유형 3-2

270원에서 70원은 50원짜리 동전 1개와 10원짜리 동전 2개로 만들어야 합니다.

16 100원, 50원, 10원짜리만 사용하여 주어진 개수와 금액에 맞게 동전의 금액을 ○ 안에 써넣으시오.

(1) 6개, 270원

(2) 7개, 200원

접는 선

3-1. 닮은 모양 | 01~04

01 주어진 모양과 닮은 모양이 아닌 것에 모두 ×표 하시오.

❗ 유형1
닮은 모양은 크기와 관계 없이 모양이 같으면 됩니다.

02 주어진 모양 4개로 길이가 2배인 닮은 모양을 채우는 방법을 나타 내시오.

❗ 유형1-1
여러 가지 방법으로 직접 채워 봅니다.

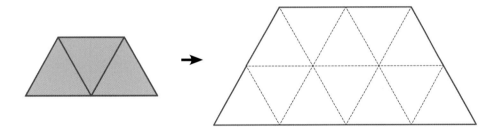

유형 1-2
먼저 모양의 둘레의 반듯한 선이 각각 몇 칸인지 세어 봅니다.

03 모든 길이를 2배로 늘린 모양을 그리시오.

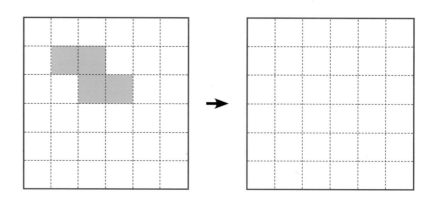

 유형 1-2
가로나 세로로 곧은 선을 먼저 그린 다음 기울어진 선을 이어서 완성합니다.

04 모든 길이를 반으로 줄인 모양을 그리시오.

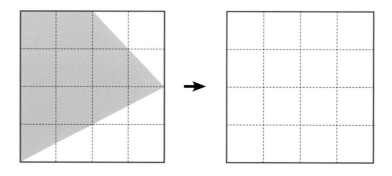

05 선을 따라 자르면 같은 모양 2개로 나누어지는 것을 고르시오.

① 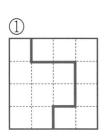　② 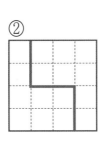　③ 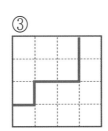　④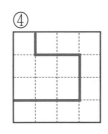

유형 2
네모 모양을 2개로 나누는 선은 가운데 점을 지나게 됩니다.

06 주어진 모양 여러 개를 붙여서 만들 수 없는 것을 고르시오.

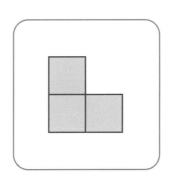

유형 2-1
모양을 주어진 모양으로 나누어 봅니다.

①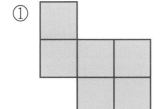

②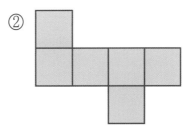

③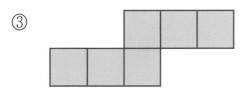

④

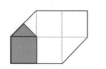

07 주어진 모양 4개로 큰 모양을 채우는 방법을 그림으로 나타내시오.

 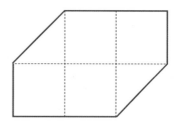

유형 2-1
먼저 네모 몇 칸씩을 가지면 되는지 생각해 봅니다.

08 돼지 3형제가 땅을 똑같은 모양으로 나누어 가지려고 합니다. 나누는 선을 그리시오.

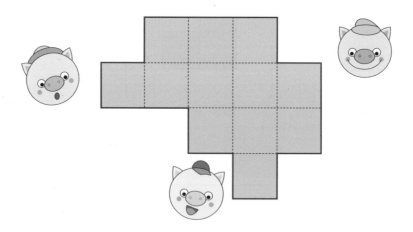

접
는
선

유형 2-2

꿀벌 한 마리가 3칸씩 땅을 가지도록 할 때 3칸을 붙여 놓은 모양을 생각해 봅니다.

09 꿀벌 3마리가 꿀단지 하나씩을 가지고 있도록 땅을 같은 모양으로 나누는 선을 그리시오.

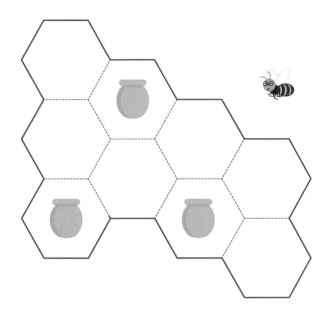

유형 2-1

큰 모양의 왼쪽을 먼저 채워 봅니다.

10 주어진 모양과 개수로 나누는 선을 그리시오.

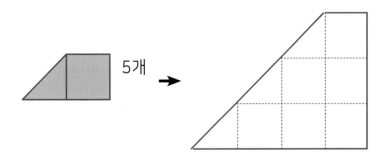

5개 →

접는

선

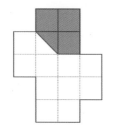

유형 2-1

다음과 같이 하나를 놓고 생각해 봅니다.

11 주어진 모양 4개로 큰 모양을 채우는 선을 그리시오.

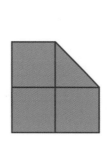

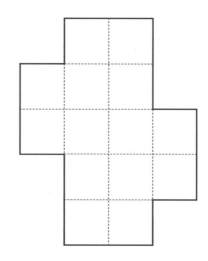

유형 2-3

그림에 같은 모양으로 나누는 선을 그려서 생각합니다.

12 다음은 그림을 같은 모양 네 조각으로 나눈 것 중 한 조각을 표시한 것입니다. 나머지 3조각이 아닌 것을 고르시오.

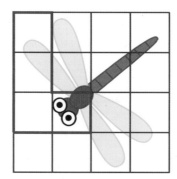

① 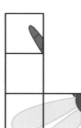   ② 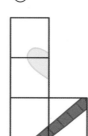   ③ 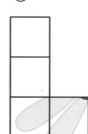   ④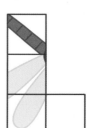

접는 선

13 점을 잇는 선을 세 개 그려서 전체 모양과 닮은 모양 4조각으로 나누어 보시오.

! 유형 2-4
전체 모양과 닮음이 되도록 선을 하나 그어 봅니다.

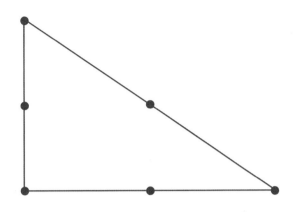

14 다음 모양을 주어진 조각의 개수에 맞게 점선을 따라 나누는 선을 그리시오.

! 유형 2-4
세모 12개가 붙어 있는 모양입니다.

3조각

4조각

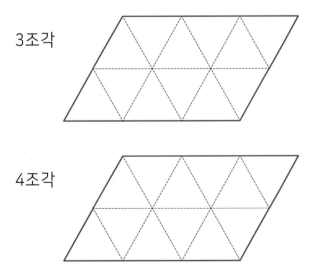

접는 선

유형2-4

2조각으로 나누는 선을 따라 접으면 모양이 겹쳐집니다.

15 다음 모양을 조각의 개수에 맞게 같은 모양으로 나누는 선을 그리시오.

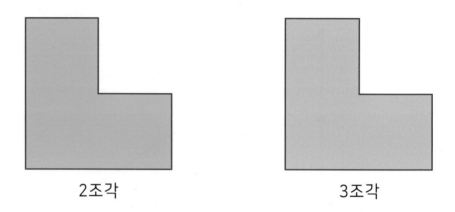

2조각   3조각

유형2-4

안쪽에 선을 그어 □모양으로 나누어 놓고 생각합니다.

16 세 모양 중에서 똑같은 모양 4개로 나눌 수 있는 모양에 ○표 하시오.

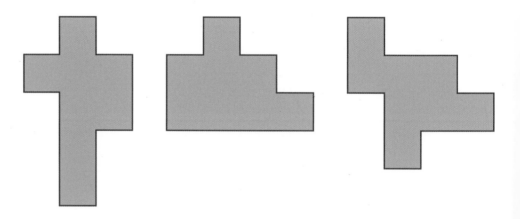

접는 선

4-1. 옮겨서 모양 바꾸기 | 01~10

01 바둑돌을 가장 적게 옮겨서 모양을 위로 뒤집은 모양이 되도록 할 때, 옮겨야 하는 바둑돌에 ×표 하시오.

유형 1

(1)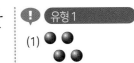

(2)

(3)

(1)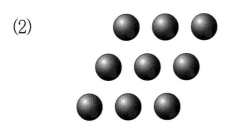

(2)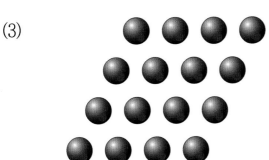

(3)

02 나무 막대로 의자를 만들었는데 의자가 뒤집어졌습니다. 나무 막대 2개를 옮겨서 의자를 똑바로 만드는 방법을 나타내시오.

유형 1-1

가장 작은 수를 만들려면 십의 자리의 숫자가 어떤 수가 되어야 할지 먼저 생각해 봅니다.

03 성냥개비 8개로 네모 모양을 만들었습니다. 성냥개비 2개를 옮겨서 만들 수 있는 두 자리 수 중 가장 작은 수를 만들 때, 만든 두 자리 수를 쓰시오.

04 나무 막대로 세모 모양 3개를 만들었습니다. 4개의 나무 막대를 옮겨서 세모 모양이 모두 아래로 뒤집힌 모양이 되도록 할 때, 옮겨야 하는 나무 막대에 ○표 하시오.

! 유형 1-1

세모 모양 3개가 모두 아래로 뒤집힌 모양을 그려 놓고 생각해 봅니다.

05 나무 막대 9개를 이용하여 크기가 같은 네모 모양 3개를 만들었습니다. 나무 막대 3개를 옮겨서 크기가 같은 세모 모양 3개가 되도록 하는 방법을 나타내시오.

! 유형 1-2

세모 모양 1개를 만드는 데 나무 막대 3개가 필요합니다.

접는 선

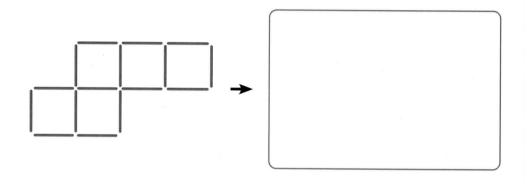

유형 1-2
네모 모양 1개를 만드는 데 나무 막대 4개가 필요합니다.

06 나무 막대 16개를 사용하여 크기가 같은 네모 모양 5개를 만들었습니다. 같은 크기의 네모 모양 4개가 되도록 나무 막대 2개를 옮긴 그림을 빈 곳에 그리시오.

유형 1-2
나무 막대 9개로 세모 모양 3개를 만들어야 합니다.

07 나무 막대 11개를 사용하여 크기가 같은 세모 모양 5개를 만들었습니다. 나무 막대 2개를 빼서 같은 크기의 세모 모양 3개가 되도록 할 때, 빼야 하는 나무 막대에 × 표 하시오.

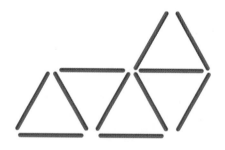

08 나무 막대 18개를 이용하여 크기가 같은 네모 모양 6개를 만들었습니다. 나무 막대 2개를 빼서 같은 크기의 네모 모양 4개가 되도록 할 때, 빼야 하는 나무 막대에 ×표 하시오.

! 유형 1-1
나무 막대 16개로 네모 모양 4개를 만들려면 네모 모양 하나에 4개씩의 나무 막대를 사용해야 합니다.

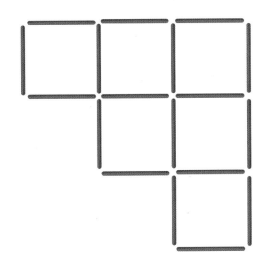

09 세모 모양을 한 번 자른 조각을 붙이면 네모 모양을 만들 수 있습니다.

! 유형 1-3
왼쪽 모양 위에 만들어야 하는 모양을 겹쳐서 그려 봅니다.

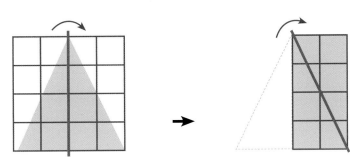

왼쪽 모양을 2번 자른 조각을 붙여서 오른쪽 모양을 만들려고 합니다. 왼쪽 모양 위에 자르는 선을 그리시오.

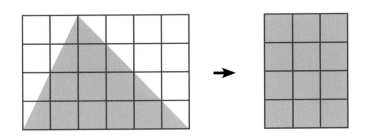

접는 선

유형 1-3
아래와 같이 만들어야 하는 모양을 겹쳐서 그려 봅니다.

10 아래 모양을 2조각으로 자른 후 옮겨 붙여서 □ 안의 모양을 만들려고 합니다. 각 모양에 자르는 선을 그리시오.

(1)

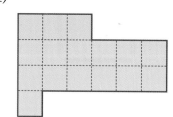

(2)

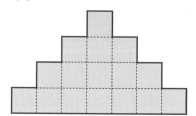

(3)

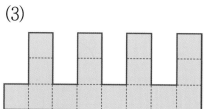

(4)

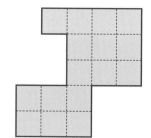

11 자석에 붙은 막대를 움직여서 똑같이 만들 수 없는 모양 하나를 고르시오.

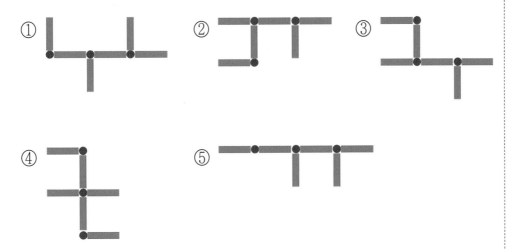

유형2
먼저 자석에 붙어 있는 막대의 개수를 세어 보고, 모양을 바꾸어 봅니다.

12 빨대에 압정을 꼽아 움직여 자유롭게 모양을 만들었습니다. 다른 방법으로 빨대에 압정을 꽂은 모양을 하나 고르시오.

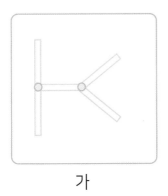 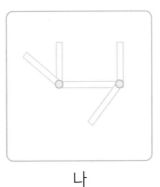 

가　　　　　　　나　　　　　　　다

유형2
압정 마다 꽂혀 있는 막대의 개수를 세어서 비교해 봅니다.

! 유형 2-1

고무줄은 길이를 늘어나거나 줄일 수 있으므로 모양의 길이는 따로 생각하지 않아도 됩니다.

13 보기 는 고무줄 3개를 묶고 고무줄을 늘려서 만든 모양입니다. 아래에서 보기 의 고무줄을 움직여서 만들 수 있는 모양은 몇 개입니까?

! 유형 2-2

두 노선이 교차하지만 계속 이어지지 않는 지하철역이 있습니다.

14 다음은 서울시 지하철 노선도의 일부입니다. 각 역에서의 연결 상태가 다른 역의 이름을 쓰시오.

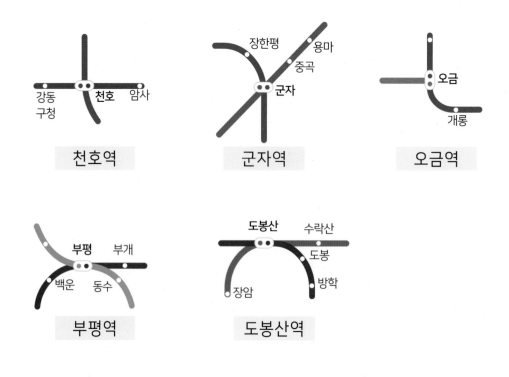

사고력 수학

예비 활동 가이드
정답 및 풀이

예비 활동 가이드

- 다양한 활동 방법 제시
- 예비 활동을 위한 활동 자료
- 본문의 이해를 돕는 예비 학습

정답 및 풀이

- 상세한 풀이 수록

수 / 평면

A1
초1 · 초2

천종현수학연구소

예비 활동 가이드

2단원 36쪽 여러 가지 수 - 2-2. 디지털 숫자 탐구

디지털 숫자

활동 자료 1의 모형 성냥개비로 본문의 디지털 숫자를 관찰하기 전에 직접 숫자를 만들어 보는 활동을 하도록 합니다. 모형 성냥개비는 4단원에서 모양 바꾸기를 공부하면서 활용할 수도 있습니다.

먼저 자유롭게 숫자를 만들어 보고 그림으로 표현하도록 한 후, 점선 안쪽을 색칠하여 생활 속에서 많이 사용되는 디지털 숫자를 알아봅니다.

디지털 숫자를 나타내는 방법은 다음과 같이 숫자에 따라 여러 가지가 있습니다.

한 가지 모양으로 알기보다는 여러 가지로 표현할 수 있으니 문제로 나왔을 때 주어진 모양을 관찰해서 해결해야 한다는 점을 생각하도록 넘어가도록 지도하는 것이 좋습니다.

내가 만든 숫자 모양

준비물 - 활동 자료 1

모형 성냥개비 막대를 사용하여 0에서 9까지 나만의 숫자 모양을 자유롭게 만들어 보고, 직접 그려 보시오.

숫자	0	1	2	3	4
만든 모양					

숫자	5	6	7	8	9
만든 모양					

💡 점선 안쪽을 색칠하여 0부터 9까지의 숫자를 나타내어 보시오.

숫자	0	1	2	3	4
색칠한 모양					
숫자	5	6	7	8	9
색칠한 모양					

2단원 38쪽 여러 가지 수 - 3. 동전의 금액

동전놀이

세 자리 수를 재미있게 공부하는데 가장 좋은 교구가 동전입니다. 동전 금액 맞추기 활동을 위해서 활동 자료 2 의 동전의 크기를 모두 동일하게 만들었습니다.

본문에서 몇백 몇십 몇까지의 수 세기를 공부한 후 개수와 금액을 알 때 동전을 구하는 공부를 하게 됩니다. 다음 예비 활동으로 본 교재에서 공부할 동전의 금액과 관련된 문제를 활동으로 해 보면서 본 교재의 문제를 스스로 해결하는데 도움이 되도록 합니다.

동전이 가장 적게 금액 만들기

준비물 - 활동 자료 2

금액을 불러 주면 활동 자료 2의 동전을 가장 적게 사용하여 금액을 완성합니다.

예) 648원

예) 376원

동전 금액 맞추기 게임

준비물 - 활동 자료 2

<게임 방법>

① 10원, 50원 100원, 500원 동전 중에서 4개를 고른 다음 보이지 않게 모두 뒤집어 놓고 동전 금액의 합이 얼마인지 말해줍니다.

② 동전 금액의 합을 듣고 술래가 뒤집은 동전 4개를 모두 맞추는 게임입니다.

③ 한 번에 정답을 맞추지 못하면 동전 1개를 보여줍니다.

④ 동전을 2개 보여주기 전에 금액을 맞추어야 합니다.

⑤ 4개의 동전의 뒤집는 경우가 익숙해지면 동전의 개수를 5개나 6개로 늘려서 게임을 진행해 봅니다.

 ## 모양 바꾸기 - 1. 옮겨서 모양 바꾸기

 모양바꾸기

바둑알, 성냥개비 등으로 만든 모양의 일부를 옮겨서 모양을 바꿀 때는 원래 모양과 바꿔야 하는 모양을 비교하면서 어떤 것을 옮겨야 할지 찾아야 합니다. 필름 활동 자료를 이용해서 바꾸어야 하는 모양을 원래 그림에 대어 보고 직관적으로 답을 찾는 활동을 해 봅니다.

필름 활동 자료를 이용하여 옮겨야 하는 바둑돌을 찾는 활동을 해 봅시다.

바둑돌 옮기기

준비물 - 활동 자료 3

바둑돌로 만든 모양을 위 아래가 거꾸로 된 모양으로 바꾸려고 합니다. [보기]와 같이 거꾸로 된 투명 필름을 원래 모양과 바둑돌 일부가 겹치도록 대었을 때 겹치지 않은 바둑돌이 옮겨야 하는 바둑돌입니다. 바둑돌이 가장 많이 겹치는 모양을 찾으면 옮겨야 하는 바둑돌이 가장 적은 경우를 알 수 있습니다.

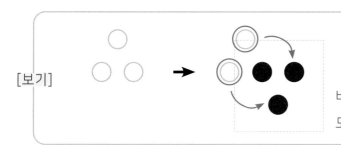

[보기] 바둑돌 2개를 옮기면 거꾸로 된 모양을 만들 수 있습니다.

가장 적게 바둑돌을 옮겨서 모양을 거꾸로 된 모양으로 바꾸려고 합니다. 투명 필름을 대어 보면서 옮겨야 하는 바둑돌을 찾아보시오. (정답 및 해설 31페이지)

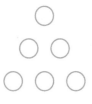
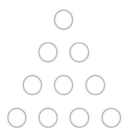
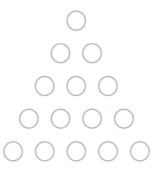

뒤집어야 하는 막대를 찾는 활동도 해 봅니다.

막대 옮기기

준비물 - 활동 자료 4

나무 막대로 만든 모양을 아래로 뒤집어지도록 하려고 합니다. [보기]와 같이 투명 필름을 거꾸로 하여 대어 보면 어떤 나무 막대를 옮겨야 하는지 알 수 있습니다.

[보기]

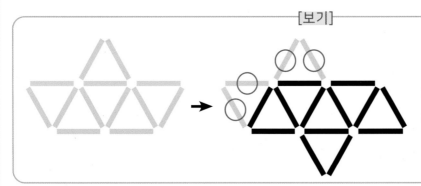

나무 막대 4개를 옮기면 아래로 뒤집어진 모양이 됩니다.

모양을 아래로 뒤집어지도록 바꾸려고 합니다. 투명 필름을 대어 보면서 가장 적게 막대를 옮기는 방법을 찾아보시오. (정답 및 해설 31페이지)

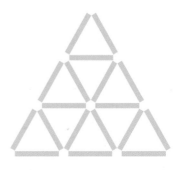

어떤 모양을 자르고 옮겨 붙여서 만든 다른 모양을 보고 자른 선을 찾는 문제가 있습니다. 만들어야 하는 모양을 원래 모양 위에 그리거나, 원래 모양을 만들어야 하는 모양 위에 그려 보면서 문제를 해결할 수 있습니다.

난이도가 높은 문제 중에는 한 모양 위에 다른 모양을 겹쳐 그리는 방법으로 해결할 수 없는 경우도 있지만, 많은 경우 이 방법으로 해결이 가능합니다.

필름 활동 자료를 원래 모양에 여러 방법으로 대어 보면서 모양을 자르는 선을 찾아봅시다.

남는 부분의 모양

준비물 - 활동 자료 5

[보기]와 같이 만들 모양의 투명 필름을 원래 모양에 대어서, 모양의 남는 부분과 투명 필름 안의 남는 부분이 같도록 만들면 원래 모양을 자르는 선을 알 수 있습니다.

[보기]

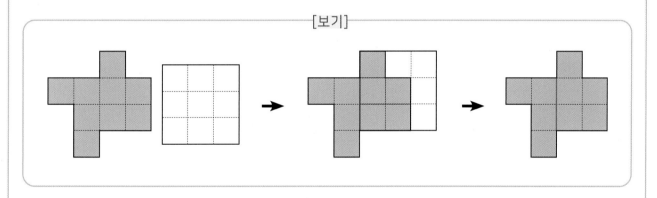

주어진 투명 필름을 대어서 모양의 남는 부분이 투명 필름 안의 남는 모양과 같도록 모양 안에 선을 그어 보시오. (정답 및 해설 31페이지)

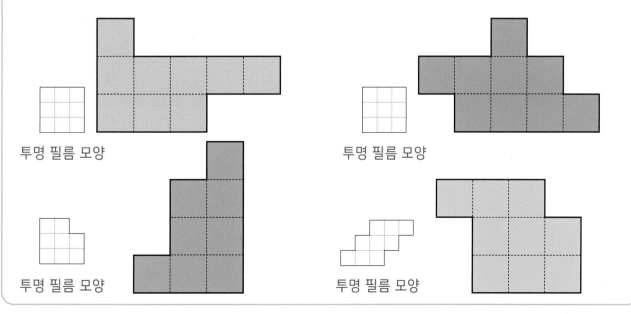

투명 필름 모양

투명 필름 모양

투명 필름 모양

투명 필름 모양

정답

1. 수와 숫자

생각열기
0은 수일까? 숫자일까?

0은 수입니까? 숫자입니까?

0은 상황에 따라서 숫자이기도 하고, 수이기도 합니다.

0 하나만 써놓으면 0은 '없음'을 나타내는 수이면서, 수를 나타내는 글자인 숫자이기도 합니다.

다만, 10, 20과 같이 다른 숫자와 함께 쓴 0은 수가 아니라 숫자입니다.

❧ 다음 수를 보고 물음에 답하시오.

> 26, 35, 40, 33, 52, 80, 19, 24

(1) 각 자리 숫자의 합이 8인 수는 몇 개입니까? 3개

(2) 십의 자리 숫자가 일의 자리 숫자보다 큰 수는 몇 개입니까? 3개

❧ 수와 숫자의 개수를 각각 구하시오.

(1) 7, 8, 9, 10, 11   수 - 5 개   숫자 - 7 개

(2) 99, 100   수 - 2 개   숫자 - 5 개

[풀이]

(1) 수는 7, 8, 9, 10, 11

숫자는 7, 8, 9, 1, 0, 1, 1

(2) 수는 99, 100

숫자는 9, 9, 1, 0, 0

탐구주제
1 100까지의 수

🖋 백판 수 배열표의 일부입니다. 빈칸에 알맞은 수를 써넣으시오.

🖋 1에서 100까지의 수 배열표의 수에서 화살표를 따라 이동했을 때 나오는 수를 □ 안에 써넣으시오.

[풀이]

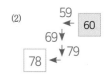

탐구 유형 1-1 화살표 규칙

[정답] (1) ↑ ← ←   (2) 44

[풀이]

(1) 순서와 관계 없이 방향이 서로 반대인 화살표는 짝지어 지울 수 있습니다. 서로 반대로 움직이면 제자리에 있는 것과 같기 때문입니다.

(2)

연습 01

[정답] (1) 58   (2) 22   (3) 77   (4) 37

[풀이]

(1) 38 ✳ ↓↓ ✳ 58
      48

(2) 22 ✳✳✳ 22

(3) 73 → ✳ ✳ → ✳ → 77
      74 75 76

(4) 49 ← ✳↑↑✳ ← 37
        48 38

13쪽

탐구 유형 1-2 거꾸로 이동하기

[정답] (1) → → ↓ ↓   (2) 44

[풀이]

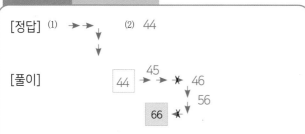

연습 01

[정답] (1) 46   (2) 12   (3) 61   (4) 27

[풀이]

지울 수 있는 화살표를 없애고, 화살표의 반대 방향으로 수를 이동합니다.

(1) 46 ✳ ↓ ✳ → 57
       56

(2) 12 ✳ → ✳ 14
       13

(3) 61 → → ✳ → 64
       62 63

(4) 27 ✳ ↓ ← ✳ ← 35
       37   36

14쪽

탐구 유형 1-3 여러 가지 화살표 규칙

[정답] (1) ↑ : 7 이 (커져요. / (작아져요.))

　　　 ↓ : 7 이 ((커져요.) / 작아져요.)

　　(2) □ ↑ 24 →

　　(3) 날짜 : 18 일
　　　　요일 : 화 요일

[풀이]

(1) 달력은 7개 요일이 반복되고, 위, 아래로 이동하면 날짜가 7씩 작아지고, 커집니다. 요일은 위, 아래로 이동하면 변하지 않습니다.

(2) 18 ✳ ✳
    ↑
    24 ✳ ✳ → 25

(3) 월요일에서 오른쪽으로 1칸 이동한 요일은 화요일이고, 위로 1칸 이동하면 요일이 변하지 않습니다.

15쪽

연습 01

[정답] (1) 5   (2) 61

[풀이] ↗ - 9 작아집니다.　　↖ - 11 작아집니다.

　　　 ↘ - 11 커집니다.　　↙ - 9 커집니다.

(1)

(2)

[다른 풀이] ↗ - → ↑　　　↖ - ← ↑

　　　　　 ↘ - → ↓　　　↙ - ← ↓

(1) ↗ ↘ ↗ - → ✳ → ✳ → ↑
      13 14 15 5

(2) ↙ ↗ - ← ↓ ← ✳ ← ✳
      53 63 62 61

연습 02

[정답] (1) 13   (2) 21

[풀이]

(1) 5 ↓ ✳ ← ↓ ✳ 13
      10   8

(2) 26 ✳ ✳ ✳ ↑ ✳ 21

정답 및 풀이 7

16쪽

탐구주제
② 수의 개수

1에서 12까지의 과녁 중에서 쓰러진 과녁은 몇 개입니까? 4개

5에서 12까지 남은 과녁의 개수를 다음 뺄셈식의 빈칸을 채워서 구하시오.

12 - 4 = 8

17쪽

🏹 범위에 맞는 수의 개수를 구하시오.

(1) 1에서 15까지의 수 15개

(2) 1에서 100까지의 수 100개

🏹 1에서 18까지의 수가 적힌 과녁이 순서대로 서 있습니다. 화살을 쏘아 차례로 과녁을 쓰러뜨릴 때 남은 과녁에 적힌 수를 보고, 남은 과녁의 개수를 구하시오.

(1) ④ … ⑱ 15 개

(2) ⑪ … ⑱ 8 개

(3) ⑧ … ⑱ 11 개

(4) ⑭ … ⑱ 5 개

[풀이] 18개 중에서 쓰러진 과녁의 개수를 뺍니다.

(1) 18-3=15

(2) 18-10=8

(3) 18-7=11

(4) 18-13=5

🏹 1에서 100까지의 수 중에서 한 자리 수, 두 자리 수, 세 자리 수는 각각 몇 개인지 구하시오.

한 자리 수 - 9 개

두 자리 수 - 90 개

세 자리 수 - 1 개

[풀이] (1) 1~9, 9개 (2) 10~99, 99-9=90개 (3) 100, 1개

18쪽

탐구 유형 2-1 **축제 기간**

[정답] (1) 16일   (2) 31-16=15, 15일

[풀이]

(1) 1일부터 16일까지는 축제 기간이 아닙니다.

01

[정답] (1) 12 (2) 24 (3) 25 (4) 22

[풀이]

과녁으로 알아본 원리와 같이 1에서 몇까지의 수에서 세지 않는 수의 개수를 뺍니다.

(1) 16-4=12   (2) 29-5=24

(3) 35-10=25   (4) 44-22=22

19쪽

02

[정답] 35-11=24, 24쪽

[풀이] 12쪽부터 읽기 시작해서 35쪽까지 읽었습니다.

03

[정답] (1) 21 (2) 20 (3) 11 (4) 16

[풀이] 몇에서 몇까지의 수인지 먼저 따져봅니다.

(1) 5~25, 25-4=21   (2) 13~32, 32-12=20

(3) 6~16, 16-5=11   (4) 13~28, 28-12=16

[정답] ⑴ 7   ⑵ 7

[풀이] ⑴ 16-9=7

 01

[정답] 13, 14

[풀이] △=19-6=13, ▽=△+1=13+1=14

21쪽

 02

[정답] 19

[풀이]

1번에서 5번까지 뽑지 않은 카드가 있을 때 6번부터 14장을 세면 마지막 카드는 5+14=19(번)입니다.

 03

[정답] 17명

[풀이]

25 - 3(간 사람의 수) = 22(남아 있는 사람의 수)

22 - 4(종세 뒤에 있는 사람의 수) - 1(종세) = 17(종세 앞에 있는 사람의 수)

22쪽

 탐구주제

3   숫자의 개수

0에서 99까지의 수 배열표를 같이 살펴본 이유는 십의 자리의 숫자를 세기 편리하기 때문입니다. 십의 자리와 일의 자리에 7은 각각 몇 개입니까?

10개, 10개

위 수 배열표를 이용하여 1에서 100까지의 수에서 다음 숫자의 개수를 구하시오.

⑴ 3 20개   ⑵ 0 11개

[풀이]

⑴ 십의 자리 10개, 일의 자리 10개

⑵ 10~100의 범위에서 일의 자리에 10개, 100의 십의 자리에서 1개

23쪽

[정답] ⑴ 2, 11   ⑵ 2, 22   ⑶ 24개

[풀이]

⑴ 한 자리 수 - 8, 9, 두 자리 수 - 10~20

⑵ 한 자리 수에는 숫자가 1개, 두 자리 수에는 숫자가 2개씩 있습니다.

⑶ 2+22=24

 01

[정답] ⑴ 7개   ⑵ 14개   ⑶ 26개

[풀이]

⑴ 한 자리 수만 7개   ⑵ 두 자리 수만 7개

⑶ 한 자리 수 8개, 두 자리 수 9개, 8+9+9=26

 02

[정답] 21번

[풀이] 한 자리 수 9개, 두 자리 수 6개

9+6+6=21

 TOP 사고력

01

[정답] 13

[풀이]

왼쪽 위의 색칠된 칸에서 오른쪽으로 3칸, 아래로 1칸 움직이면 다른 색칠된 칸으로 이동합니다. 따라서, 두 수의 합과 관계없이 두 수의 차는 13입니다.

02

[정답] 8일

[풀이]

6월은 30일까지 있습니다.

농구는 15 - 5 = 10(일), 수영은 29 - 17 = 12(일)이므로 탁구는 30 - 10 - 12 = 8(일)이 됩니다.

03

[정답]

일의 자리 숫자가 3인 수가 4개,
십의 자리 숫자가 3인 수가 10개니까.
숫자 3이 들어간 수는 모두 14개야.
13

[풀이]

숫자 3은 14개(=4+10)입니다. 이 중에서 33에는 숫자가 2개 있으므로 숫자 3이 들어간 수의 개수를 세면 1개 적은 13개입니다.

04

[정답] 21번째

[풀이]

30 - 3 = 27이므로 현아는 27번째에 서 있고 첫 번째 사람부터 현아까지 27명이 서 있습니다. 문수부터 현아까지 7명이므로 문수 앞에는 27 - 7 = 20(명)이 서 있습니다. 문수 앞에 20명이 있으므로 문수는 21번째입니다.

---

2. 여러 가지 수

 생각열기

인도- 아라비아 숫자

우리가 사용하는 인도-아라비아 숫자는 모두 몇 개입니까?

10개(0, 1, 2, 3, 4, 5, 6, 7, 8, 9)

인도-아라비아 숫자로 나타낼 수 있는 수는 모두 몇 개입니까?

셀 수 없이 많습니다.

탐구주제
1 고대의 수

원시인이 키우고 있는 닭의 수를 돌멩이로 나타내었습니다. 닭은 몇 마리입니까?

  17마리

탐구 유형 1-1   **원시 부족의 수**

[정답] (1) 9   (2) 7

(3) 어어어어   (4) 어어어어어라

연습 01

[정답] 어어어어어

탐구 유형 1-2   **메소포타미아의 수**

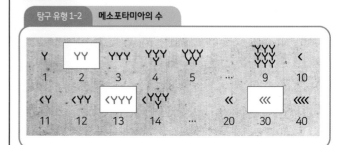

01

[정답] 1, 10

 02

[정답] 7, ‹ᵛᵛᵛ, 25, «ᵛᵛᵛ

[풀이]

메소포타미아의 수는 1과 10을 나타내는 숫자를 반복하여 써서 수를 나타내었습니다.

31쪽

 03

[정답] ⑴ 1, 5, 10   ⑵ 21, △Γᒋᒋ, 36, △△Γᒋᒋᒋᒋ

[풀이]

고대 그리스의 수는 메소포타미아의 수와 다르게 5, 6, 7, 8, 9에 숫자 5(Γ)를 사용했습니다.

32쪽

탐구 유형 1-3   로마의 수

[정답] Ⅶ, ⅩⅣ, ⅩⅨ, ⅩⅩⅩ

[풀이]

로마의 수는 큰 숫자 다음에 작은 숫자가 오면 차례로 더하지만, 작은 숫자 다음에 큰 숫자가 오면 큰 숫자에 작은 숫자를 빼는 방법으로 숫자를 적게 썼습니다.

(예) Ⅴ=5, Ⅰ=1

(예) Ⅵ=5+1=6, Ⅳ=5-1=4

 01

[정답] 1+1, 5+1, 10-1

[풀이]

9는 5에 1을 4번 더해서 쓰지 않고, 10에 1을 빼는 방법으로 수를 나타내었습니다

33쪽

 02

[정답] 26, ⅩⅩⅤ, 32, ⅩⅩⅩⅥ

 03

[정답] 47, 82

[풀이]

세로 막대는 1, 2, 3, …, 가로 막대는 10, 20, 30…과 같이 수를 나타내었는데 5나 50을 넘을 때는 다른 방향의 나무 막대 1개를 붙여서 5나 50으로 생각했습니다.

34쪽

탐구주제

2   그림으로 나타낸 수

탐구 유형 2-1   모양으로 나타낸 수

[정답] ⑴ 1, 3   ⑵ 9, 11

⑶ 8 : ●●○○   13 : ●●●●○

[풀이]

⑵ 3+3+3=9, 3+3+3+1+1=11

⑶ 8=3+3+1+1, 13=3+3+3+3+1

 01

[정답] ▽▽ △

[풀이]

▽는 2, △은 1을 나타내는데 ▽를 최대한 쓰고 1이 남을 때 △을 씁니다.

02

[정답] ☐☐☐☐☐☐☐

[풀이]

1에서 5까지의 숫자를 모양으로 정해서 5를 최대한 반복하여 쓰고, 남는 만큼 1, 2, 3, 4를 씁니다.

27=5+5+5+5+5+2

 03

[정답] 84

[풀이]

왼쪽 모양은 십의 자리 숫자, 오른쪽 모양은 일의 자리 숫자를 나타냅니다.

36쪽

탐구 유형 2-2　디지털 숫자 탐구

[정답] 47 - 　　63 -

[풀이]

주어진 디지털 숫자를 보고 답을 구해야 합니다. 디지털 숫자는 한 가지 모양만 있는 것은 아니지만 모양이 주어졌을 경우에는 주어진 모양에 맞는 답을 찾습니다.

연습 01

[정답] (1)　　　　(2)

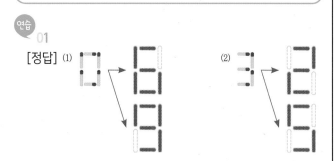

37쪽

연습 02

[정답] (1)　　　　(2)

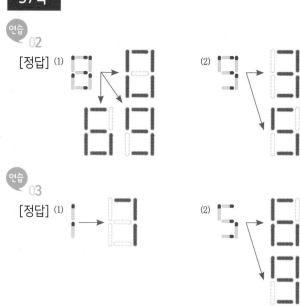

연습 03

[정답] (1)　　　　(2)

38쪽

탐구 주제

③　동전의 금액

금액이 같도록 ○ 안에 알맞은 수를 써넣으시오.

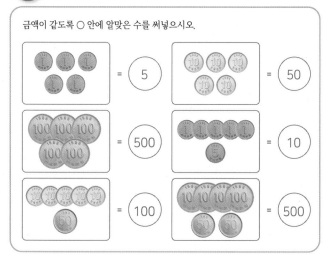

동전이 나타내는 금액을 구하시오.

268 원

탐구 유형 3-1   저금통은 모두 얼마?

[정답] (1) 2, 4, 18   (2) 3, 5   (3) 5, 1, 588

[풀이]

(2) 10원짜리 18개 중에서 10개를 100원짜리 1개로, 5개를 50원짜리 1개로 바꾸고, 10원짜리 3개가 됩니다.

(3) 50원짜리 4개를 100원짜리 2개로 바꾸면 50원짜리 1개가 됩니다.

 01

[정답] (1) 656   (2) 465

[풀이]

(1) 금액이 큰 동전으로 모두 바꾸면
100원짜리 6개, 50원짜리 1개, 5원짜리 1개, 1원짜리 1개가 됩니다.

(2) 금액이 큰 동전으로 모두 바꾸면
100원짜리 4개, 50원짜리 1개, 10원짜리 1개, 5원짜리 1개가 됩니다.

 02

[정답]

[풀이]

100원짜리 2개, 50원짜리 2개, 10원짜리 2개를 내어야 320원이 됩니다.

탐구 유형 3-2   개수와 금액

[정답]

[풀이]

먼저 동전을 가장 적게 사용하는 경우를 찾아보고 동전을 바꾸어 가면 됩니다.

동전을 가장 적게 사용하면 100원, 100원, 100원, 10원일 때이고, 100원짜리 동전 2개를 50원짜리 동전 4개로 바꾸면 동전이 모두 6개가 됩니다.

 01

[정답]

(1)

(2)

[풀이]

(1) 동전을 가장 적게 사용하면 100원, 100원, 50원, 10원, 10원, 10원입니다. 1개의 동전을 늘리려면 100원짜리 1개를 50원짜리 2개로 바꾸면 됩니다.

(2) 동전을 가장 적게 사용하면 100원, 100원, 100원, 100원입니다. 1개의 동전을 늘리려면 100원짜리 1개를 50원짜리 2개로 바꾸면 됩니다.

 02

[정답] 1, 2, 1, 3

[풀이]

10원짜리 50개가 500원짜리 1개,
10원짜리 10개가 100원짜리 1개,
10원짜리 5개가 50원짜리 1개입니다.

 TOP 사고력

01

[정답] 가장 큰 수 - 99   가장 작은 수 - 38

[풀이]

십의 자리 숫자를 먼저 생각해야 합니다.

큰 수를 만들 때 십의 자리의 5에 1개를 더 붙여서 9를 만들 수 있고, 1개를 일의 자리의 8에서 1개를 빼면서 9를 만들 수 있습니다.

작은 수를 만들 때는 5에 1개를 빼거나, 더하거나, 옮겨서 0, 1, 2를 만들 수 없고, 1개를 옮겨서 3을 만들 수 있습니다. 이때 일의 자리는 변하지 않습니다

02

[정답] 400원

[풀이]

왼쪽에 보이는 동전은 모두 300원, 오른쪽에 보이는 동전은 모두 350원입니다. 양쪽에 보이지 않는 동전이 1개씩 더해서 같아질 수 있는 금액은 400원이고, 왼쪽에 100원, 오른쪽 50원이 보이지 않는 동전입니다.

03

[정답] (1)

Γ Δ		L X
그리스 수		로마 수

(2)

Δ Δ Δ Δ		X L
그리스 수		로마 수

[풀이]

(1) 50에 10을 더하면 60입니다.

(2) 그리스의 수는 숫자를 더해서 수를 나타내고, 로마의 수는 큰 숫자 왼쪽에 작은 숫자를 쓰면 큰 숫자에서 작은 숫자를 빼서 수를 나타냅니다.

3. 닮음과 모양 나누기, 붙이기

 생각열기

길이가 2배인 모양 채우기

같은 모양 4개를 붙여서 선의 길이가 모두 2배인 모양을 채우는 방법을 그리시오.

🏆 다음 중에서 다른 것과 닮은 모양이 아닌 것에 ×표 하시오.

🏆 우리 주위에 서로 닮은 모양인 것을 찾아보시오.

교회의 십자가, 접시, 신발 등 다양한 답이 있습니다.

1 닮은 모양

탐구 유형 1-1 **닮은 모양 채우기**

[정답]

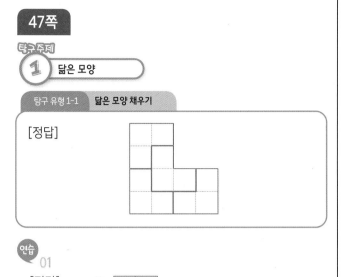

연습 01

[정답] (1)

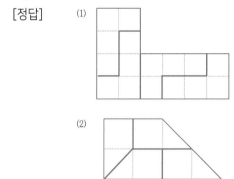

(2)

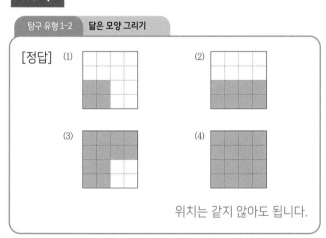

48쪽

탐구 유형 1-2 **닮은 모양 그리기**

[정답] (1) (2)

(3) (4)

위치는 같지 않아도 됩니다.

49쪽

연습 01

[정답]

위치는 같지 않아도 됩니다.

연습 02

[정답] (1)  (2)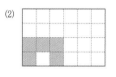

위치는 같지 않아도 됩니다.

50쪽

연습 03

[정답] (1) (2)

(3) (4)

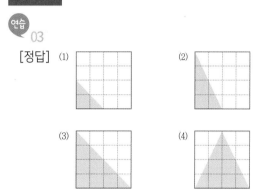

[풀이]

가로, 세로로 반듯한 부분의 길이를 먼저 늘려서 그린 후, 비스듬한 선의 길이가 2배가 되었는지 비교해 봅니다. 위치는 같지 않아도 됩니다.

연습 04

[정답] (1) (2)

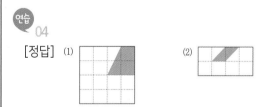

[풀이]

가로, 세로로 반듯한 부분의 길이를 먼저 반으로 줄여서 그린 후, 비스듬한 선의 길이도 반이 되었는지 비교해 봅니다. 위치는 같지 않아도 됩니다.

탐구 주제

2 같은 모양으로 나누기

같은 모양 2개로 자르는 선을 완성하시오.

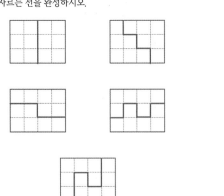

[풀이]

주어진 그림을 반 바퀴 돌린 것과 같은 모양을 그려야 합니다. 모두 완성한 후 책을 돌려서 관찰해 보도록 해도 좋습니다.

52쪽

서로 다른 방법으로 같은 모양 2개로 나누는 선을 완성하시오.

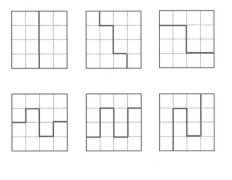

[풀이]

주어진 그림을 반 바퀴 돌린 것과 같은 모양을 그려야 합니다. 모두 완성한 후 책을 돌려서 관찰해 보도록 해도 좋습니다.

위에서 찾은 모양을 더 나누어 같은 모양 4개를 만들 수 있는 방법을 나타내시오.

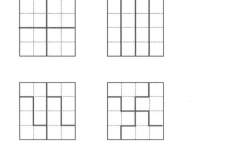

모양은 4가지가 있고, 자르는 방법은 다를 수 있습니다.

53쪽

탐구 유형 2-1   같은 모양 채우기

[정답]

여러 가지 방법이 있습니다.

연습 01

[정답]

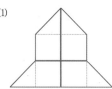

연습 02

[정답] (1)   (2)

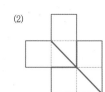

54쪽

연습 03

[정답] (1)

(2)

연습 04

[정답]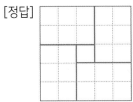

55쪽

탐구 유형 2-2　포함하여 나누기

[정답]

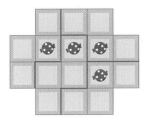

[풀이]
직접 나누어 보면서 4칸씩으로 나누어야 한다는 것을 먼저
찾습니다.

연습 01

[정답] (1) 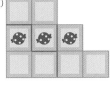　(2)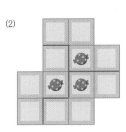

자르는 방법은 다를 수 있습니다.

56쪽

연습 02

[정답]

연습 03

[정답]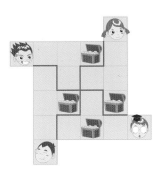

57쪽

탐구 유형 2-3　그림 나누기

[정답] ⑤

[풀이] 사과와 나무를 먼저 관찰하는 것이 쉽습니다.

연습 01

[정답] ④

[풀이]
④와 같이 자르면 주전자의 주둥이 부분이 있어야 합니다.

탐구 유형 2-4 **개수만큼 나누기**

[정답]

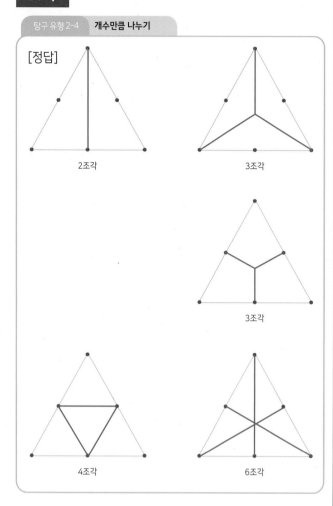

2조각

3조각

3조각

4조각

6조각

 01

[정답]

 02

[정답]

2조각

3조각

4조각

6조각

 TOP **사고력**

01
[정답]

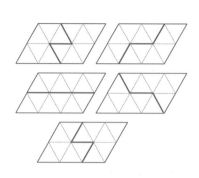

[풀이]
첫째와 다섯째, 둘째와 넷째 방법이 비슷해 보이지만 잘라진 조각의 모양이 다르기 때문에 다른 방법으로 봐야 합니다.

02
[정답] 3개

[풀이] ┗ 모양 4개를 사용하면 1칸이 남게 됩니다.

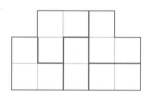

03
[정답]

04
[정답]

[풀이]
2조각 또는 3조각으로 나누는 방법을 먼저 찾고, 2조각으로 나눈 것을 3조각씩 나누거나, 3조각으로 나눈 것을 2조각씩 나눕니다.

4. 모양 바꾸기

63쪽

생각열기
두 가지 지하철 노선도

두 가지 지하철 노선도를 보고 공통점, 차이점, 장, 단점을 정확하게 찾기는 쉽지 않습니다. 정확한 답을 요구하는 질문이라기보다는 63쪽에서 연결 상태에 대해 공부하기 전에 스스로 관찰하고 생각하도록 하는 것을 목표로 합니다.

서로 다른 두 지하철 노선도에 똑같은 것은 무엇입니까?

지하철 노선과 노선 위의 역과 역의 순서, 서로 다른 노선이 만나는 역 등은 똑같습니다.

실제 위치를 바꾸어 그린 왼쪽 지하철 노선도를 더 많이 사용하는 이유는 무엇입니까?

역의 순서나 갈아타는 역 등 지하철을 실제로 이용하면서 보게 되는 정보는 왼쪽 지도가 보기에 더 편리합니다.

64쪽

🏆 다음은 두 가지 색깔의 지하철 노선을 여러 가지로 그린 것입니다. 나머지와 다른 그림 하나를 고르시오.

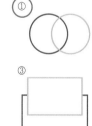

[풀이]
다른 그림은 보라색 선의 양쪽 끝이 끝이 없이 연결된 초록색 선에 연결된 형태인데, ①은 보라색과 초록색 모두 끝이 없이 연결된 선입니다.

65쪽

탐구주제
1 옮겨서 모양 바꾸기

왼쪽 모양 위에 거울에 비친 모양을 세모로 생각하고 여러 가지로 원래 그림 위에 그려 보았습니다. 각각 옮겨야 하는 나무 막대의 개수를 구하시오.

7, 7, 5, 7

[풀이]
세모 모양은 원래 모양을 뒤집은 모양이고, 세모 바깥에 있는 나무 막대를 세모 안으로 옮겨서 뒤집은 모양을 만들 수 있습니다.

💬 거울에 비친 모양을 만들기 위해서 가장 적게 옮길 수 있는 나무 막대의 개수는 몇 개입니까?

5개

66쪽

💬 다음은 모양의 나무 막대를 최소로 옮겨서 오른쪽으로 뒤집어진 모양을 만들려고 합니다. 옮겨야 하는 나무 막대의 개수를 구하시오.

최소로 옮겨야 하는 나무 막대의 개수 - [1] 개

최소로 옮겨야 하는 나무 막대의 개수 - [2] 개

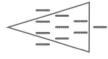 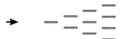

최소로 옮겨야 하는 나무 막대의 개수 - [3] 개

탐구 유형 1-1 모양 바꾸기

[정답] (1)  (2)

연습 01

[정답]

연습 02

[정답] (1) 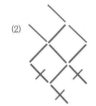 (2)

연습 03

[정답]

탐구 유형 1-2 모양 개수 바꾸기

[정답] (1) 4개 (2) 12개 (3)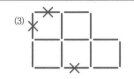

[풀이]

네모 1개를 만드는데 4개의 나무 막대가 필요한데 나무 막대가 12개 있으므로 3개의 네모가 서로 떨어져 있는 모양이 되어야 합니다.

다음 그림과 같이 네모 2개를 만드는데 서로 떨어져 있으면 8개이지만, 한 부분이 붙어 있으면 나무 막대 1개를 줄일 수 있습니다.

나무 막대 8개   나무 막대 7개

연습 01

[정답]

[풀이]

나무 막대 2개를 빼면 9개가 남기 때문에 서로 다른 세모가 나무 막대를 함께 사용하지 않도록 해야 합니다.

탐구 유형 1-3 네모 만들기

[정답]

[풀이]

여러 가지로 잘라 보면서 답을 찾을 수도 있지만, 아래와 같이 만들어야 하는 모양을 원래 모양 위에 그려 보면서 답을 찾아볼 수도 있습니다.

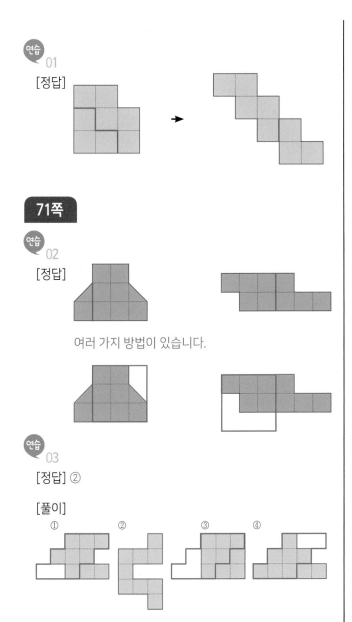

연습 01

[정답]

71쪽

연습 02

[정답]

여러 가지 방법이 있습니다.

연습 03

[정답] ②

[풀이]

①　②　③　④

73쪽

탐구주제 2 연결 상태가 같은 모양

🐱 냥이가 동그란 자석과 막대로 만든 여러 가지 모양입니다. 자석이나 막대를 떼어내거나 새로운 자석이나 막대를 붙이지 않고 자석에 붙은 막대를 움직여서 똑같이 만들 수 있는 모양끼리 선으로 이으시오.

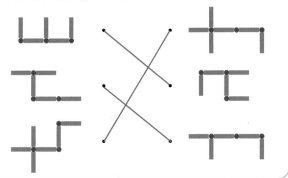

74쪽

탐구 유형 2-1　　고무줄로 글자 만들기

[정답]

ㅂ　ㅍ　ㄹ　G　R
②　④　①　③　②

[풀이]

묶음이 있는 부분의 선의 개수가 같은 것끼리 모양을 비교해 볼 수 있습니다. 고무줄의 끝부분의 개수도 세어서 비교할 수 있습니다.

M　묶음 없음 / 끝 2개

A　선 3개인 묶음 2개 / 끝 2개

T　선 3개인 묶음 1개 / 끝 3개

H　선 3개인 묶음 2개 / 끝 4개

ㅂ　선 3개인 묶음 2개 / 끝 2

ㅍ　선 3개인 묶음 2개 / 끝 4개

ㄹ　묶음 없음 / 끝 2개

G　선 3개인 묶음 1개 / 끝 3개

R　선 3개인 묶음 2개 / 끝 2개

연습 01

[정답] ②

[풀이]

X　선 4개인 묶음 1개 / 끝 4개

J　선 3개인 묶음 1개 / 끝 3개

ㅈ　선 4개인 묶음 1개 / 끝 4개

E　선 3개인 묶음 1개 / 끝 3개

ㅓ　선 3개인 묶음 2개 / 끝 4개

02

[정답]

[풀이]

주어진 숫자 '4' 는 묶음에 연결된 선이 4개입니다. 선이 4개 연결되어 있는 묶음은 Q와 X가 있습니다. 이 중 Q만 '4' 를 만들 수 있습니다.

연습 03

[정답]

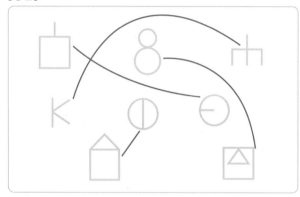

76쪽

탐구 유형 2-2   지하철 노선도

[정답] ⑴ 대저, 미남   ⑵ 대저, 미남, 동래, 연산

[풀이]

⑴ 보라색 노선을 따라 대저에서 갈색 노선으로 갈아타고, 미남에서 파란색 노선으로 갈아탑니다.

⑵ 공항 → 사상 → 수영 : 중간에 지나는 역 21개

    공항 → 사상 → 서면 → 연산 → 수영

    : 중간에 지나는 역 18개

    공항 → 대저 → 수영

    : 중간에 지나는 역 18개

    공항 → 대저 → 미남 → 동래 → 연산 → 수영

    : 중간에 지나는 역 17개

 01

[정답] ②

[풀이]

다른 노선은 한 군데에서 만나는데 ②는 두 군데에서 만납니다.

연습 02

[정답] ⑴ 가락시장   ⑵ 복정, 수서

[풀이]

가락시장에서 갈아타면 한 번에 갈아타서 가지만 복정, 수서 순서로 갈아타면 역을 1개 덜 지납니다.

01

[정답]

02

[정답]

작은 세모 4개, 큰 세모 1개

03

[정답]

여러 가지 모양을 자유롭게 만들어 보도록 하고, 연결상태가 같은 모양인지 확인합니다. 주어진 모양은 선이 3개인 묶음 2개, 끝이 2개입니다.

04

[정답]

1. 수와 숫자

01

[정답] (1)    (2)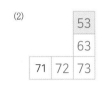

02

[정답] 27

[풀이]

다음과 같이 화살표를 간단하게 만들 수 있습니다.

28 ✖✖✖✖← 27

03

[정답] ①

[풀이]

다음과 같이 화살표를 간단하게 만들 수 있습니다.

22

04

[정답] 방법 1 ↓ → →

방법 2 → ↓ →

방법 3 → → ↓

[풀이]

다음과 같이 화살표를 간단하게 만들면, 화살표가 3개 남습니다. 3개의 화살표의 순서를 바꿀 수 있는 방법이 모두 3가지입니다.

83쪽

05

[정답] (1) 44 (2) 38

[풀이]

화살표를 먼저 간단하게 하고, 거꾸로 생각하면 다음과 같습니다.

(1)

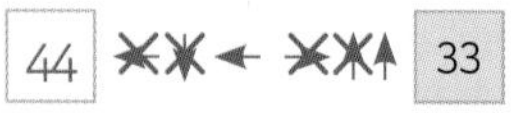

(2)

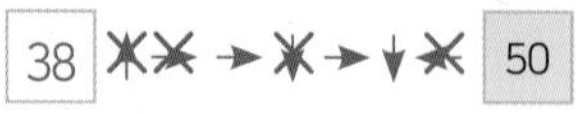

06

[정답] 4

[풀이]

오른쪽 그림과 같이 37에서 위로 3번, 왼쪽으로 3번 이동하면 가장 작은 수입니다.

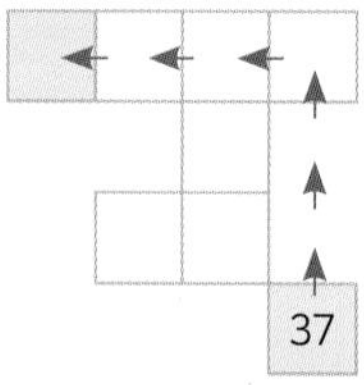

84쪽

07

[정답] 16

[풀이]

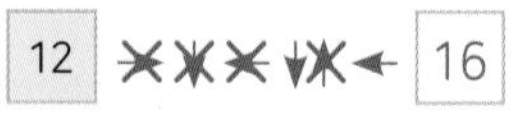

08

[정답] (1) 32 (2) 71

[풀이]

규칙 : → 2커집니다. ↓ 20커집니다.
← 2작아집니다. ↑ 20작아집니다.

(1)

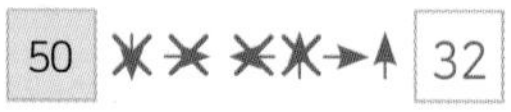

(2)

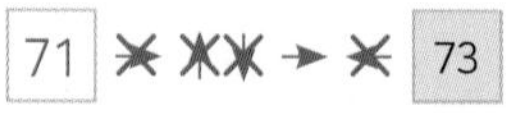

85쪽

09

[정답] (1) 7 (2) 9

[풀이]

(1) 12-5=7 (2) 19-10=9

10

[정답] (1) 9, 19 (2) 11개

[풀이]

(2) 19-8=11

86쪽

11

[정답] 1월 18일

[풀이]

출발한 1월 12일도 여행에 포함하기 때문에 돌아오는 날은 6일 후입니다. 또는 6박 7일이라고 하면 6밤을 잔 후라고 생각하여 6일 후로 구할 수도 있습니다. 12+6=18

12

[정답] 16개

[풀이]

넘어진 도미노의 개수 : 5~13 → 13-4=9(개)
서 있는 도미노의 개수 : 25-9=16(개)

[다른 풀이]

5보다 작은 수 : 4개
25까지의 수 중 13보다 큰 수 : 14~25 → 25-13=12
4+12=16(개)

13

[정답] 18명

[풀이]

23-4-1=18

14

[정답] 21개

[풀이]

91~99의 수는 9개

91~99의 숫자는 18개

100의 숫자는 3개

18+3=21(개)

15

[정답] 33

[풀이]

숫자 3이 나오는 수를 차례로 적으면

<u>3</u>, 1<u>3</u>, 2<u>3</u>, <u>3</u>0, <u>3</u>1, <u>3</u>2, <u>33</u>
 1　 2　 3 4　 5　 6　 7 8

16

[정답] 12

[풀이]

1~9의 수는 9개

1~9의 숫자는 9개

10, 11, 12의 숫자는 모두 6개

2. 여러 가지 수

01

[정답]

반장후보				
표	6	7	3	4

02

[정답] 54

03

[정답]

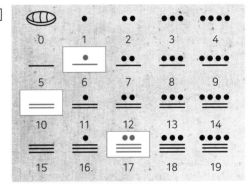

[풀이]

● : 1　 ——— : 5

04

[정답] ⑴ XVI　　⑵ XXIV

[풀이]

⑴ 7+9=16

⑵ 13+11=24

05

[정답]

18 → 51 →

[풀이]

위의 주판알이 내려오면 5, 아래의 주판알 1개가 올라가면 1을 나타냅니다.

06

[정답]

1	2	3	4	5	6	7	…
—	ǀ	十	ǀǀ	卅	‖‖	卌	…

[풀이]

— : 1, ǀ : 2

ǀ(2)를 최대한 많이 쓰고 ǀ이 남으면 — (1)을 써서 수를 나타냅니다.

07

[정답] 12, 13

[풀이]

⚪⚪⚪⚪⚪⚪ -12

⚪⚪⚪⚪⚪⚫ -13

08

[정답] PPPT

[풀이]

P(=3)을 최대한 많이 쓰고 남은 수에 따라 T(=1), O(=2)를 씁니다.

09

[정답] 12

[풀이]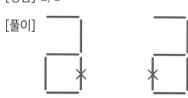

10

[정답] 2, 3

[풀이]

11

[정답] 2

[풀이]

12

[정답]

[풀이]

십의 자리를 8, 9로 할 수 없고 7을 만들면 일의 자리도 7입니다.

13
[정답] 7 개, 8 개

[풀이] 금액 - 780원

14
[정답]

640원   280원   330원

420원   870원   760원

15
[정답] 가장 큰 금액 = 850 원   가장 작은 금액 = 90 원

[풀이]

850원 - ⑤⑩⑩⑩㊿

90원 - ⑩⑩⑩⑩㊿

16
[정답] ⑴ ⑩⑮㊿㊿⑩⑩

⑵ ⑩㊿⑩⑩⑩⑩⑩

[풀이]

동전의 개수가 가장 적을 때를 먼저 구합니다.

⑴ ⑩⑩㊿⑩⑩

동전 1개를 늘리려면 100원을 50원 2개로 바꿉니다.

⑵ ⑩⑩

동전 5개를 늘리려면 100원을 50원 1개와 10원 5개로

바꿉니다.

3. 닮음과 모양 나누기 붙이기

01
[정답]

02
[정답]

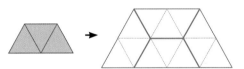

03
[정답]

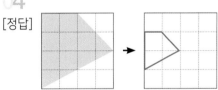

04
[정답]

위치는 같지 않아도 됩니다.

05
[정답] ②

06
[정답] ③

[풀이] ①   ②

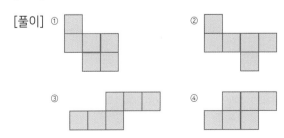

③   ④

07
[정답]

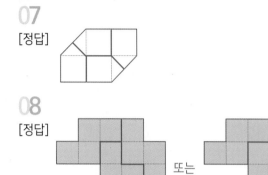

08
[정답]

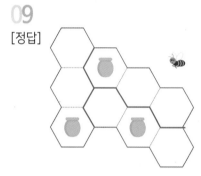

또는

09
[정답]

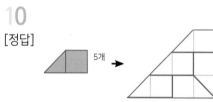

10
[정답]

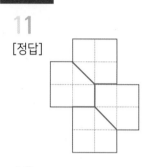
5개 →

11
[정답]

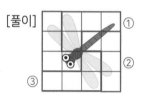

12
[정답] ④

[풀이]

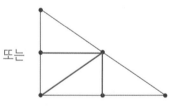

그림과 같이 나누어 집니다. 정확하게 보기는 쉽지 않습니다.
빨간색 몸통과 날개의 위치를 비교하여 잘못된 것을 찾습니다.

13
[정답]

또는

14
[정답]

3조각

또는

4조각

또는

15
[정답]

2조각 3조각

16
[정답]

[풀이]

4. 모양 바꾸기

01
[정답] (1)

(2)

(3)

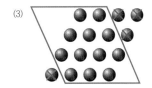

02
[정답]

03
[정답] 10

[풀이]

107쪽

04
[정답]

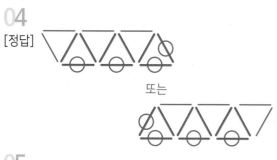

또는

05
[정답]

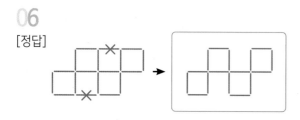

108쪽

06
[정답]

[풀이]

나무 막대가 16개이고 네모가 4개이므로, 나무 막대를 함께 사용하는 네모가 없도록 네모 4개를 고릅니다.

07
[정답]

[풀이]

나무 막대를 함께 사용하는 세모가 없도록 세모 3개를 고릅니다.

109쪽

08
[정답]

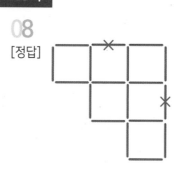

[풀이]

나무 막대를 함께 사용하는 네모가 없도록 네모 4개를 고릅니다.

09
[정답]

[풀이]

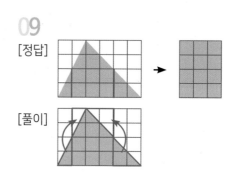

110쪽

10
[정답] (1)　　　　　　　(2)

　　　　　(3)　　　　　　　(4)

[풀이] (1)　　　　　　　(2)

　　　　　(3)　　　　　　　(4)

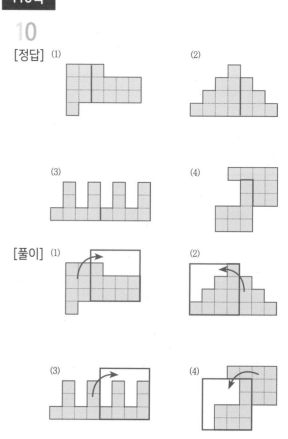

11

[정답] ④

[풀이]

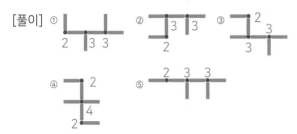

12

[정답] 다

[풀이]

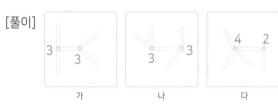

| 가 | 나 | 다 |

13

[정답] 2개

[풀이]

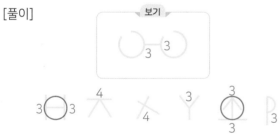

14

[정답] 오금역

[풀이]

다른 역은 2개의 노선 중간에 만나지만 오금역은 주황색 노선의 끝이 보라색과 만납니다.

바둑돌 옮기기

필름 활동 자료를 겹치는 방법은 여러가지가 있습니다.

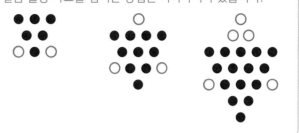

막대 옮기기

필름 활동 자료를 겹치는 방법은 여러가지가 있습니다.

남는 부분의 모양

여러 가지 답이 가능합니다.

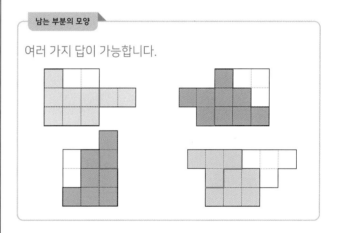

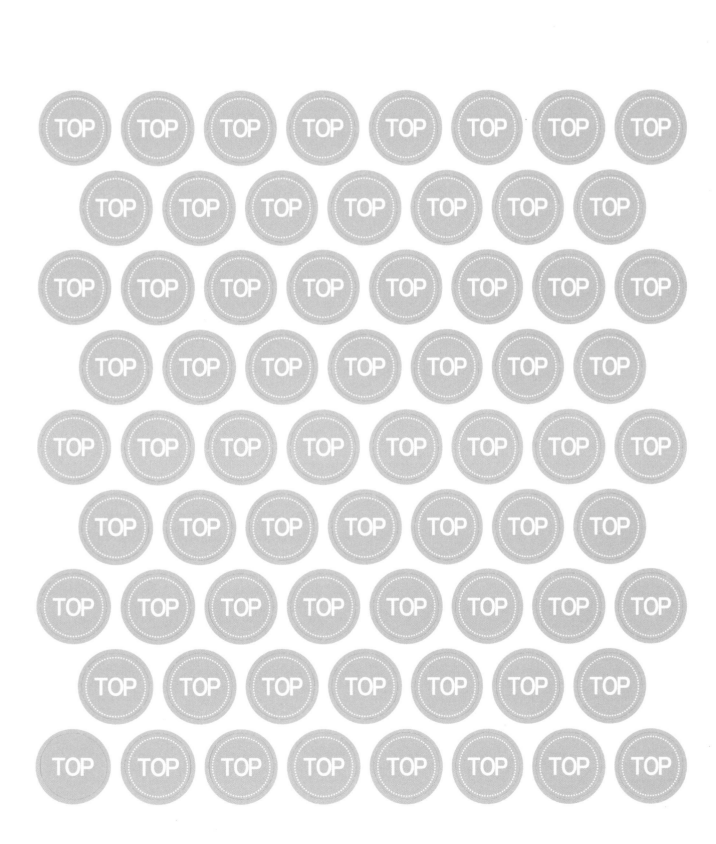

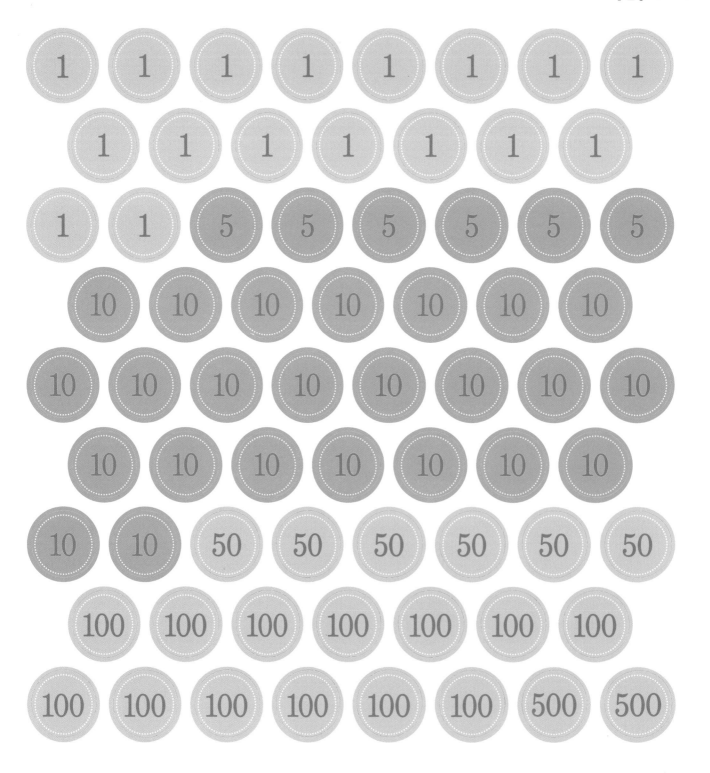

천종현수학연구소는

천종현 연구소장 아래 사고력 수학 교재를 써온 집필진으로 이루어져 있습니다. 사고력 수학을 가르치는 것으로부터 시작하여 사고력, 창의력 교재를 개발하면서 원리로부터 시작하는 단계적 학습을 중요하게 생각하는 실전에 강한 사고력 전문가 집단입니다. 원리를 이해하는 공부가 아니라 방법을 암기하는 수학 공부법에 대한 문제 인식을 가지고 아이들이 쉽고 재미있게 공부하면서도 생각하는 힘이 자라는 수학 컨텐츠를 연구하고 있습니다.

실력을 쌓는 수학 공부는 연산도 연습과 함께 원리가 중요합니다.
원리셈은 생활 속 소재와 교구 그림을 통해 쉽게 원리를 익히고, 다양한 문제로 재미있게 반복 연습할 수 있는 연산 교재입니다.

5·6세 단계

수와 수학을 처음 배우는 단계
수 읽기, 세기, 쓰기를 붙임 딱지를 활용하여 재미있게 공부하도록 구성
매 단원의 마지막은 쉽고 재미있는 내용의 사고력 수학

6·7세 단계

수를 세어 덧셈, 뺄셈의 개념을 아는 단계
20까지의 수를 차례로 세어 덧셈, 뺄셈을 이해하고 생활 속 소재와 흥미 있는 연산 퍼즐을 통해 재미있게 공부

7·8세 단계

한 자리 덧셈, 뺄셈을 확실히 잡아가는 단계
받아올림, 받아내림 없는 덧셈, 뺄셈 다지기와 10의 보수 학습을 통한 받아올림, 받아내림의 개념 잡기

초등1 단계

초등 1학년 단계
받아올림, 받아내림 없는 두 자리 덧셈, 뺄셈과 받아올림, 받아내림이 있는 한 자리 덧셈, 뺄셈의 집중 연습
마지막 단원은 앱을 이용하여 시간을 재고 다른 친구들의 기록과 비교하는 집중 연산

초등2 단계

초등 2학년 단계
두 자리 덧셈, 뺄셈과 곱셈구구 그리고, 나눗셈의 개념 알기
마지막 단원은 앱을 이용하여 시간을 재고 다른 친구들의 기록과 비교하는 집중 연산

초등3 단계

초등 3학년 단계
세 자리 덧셈과 뺄셈과 두/세 자리 곱셈, 나눗셈
총 6개 단원으로 그 중 2개 단원은 앱을 이용하여 시간을 재고 다른 친구들의 기록과 비교하는 집중 연산

초등4 단계

초등 4학년 단계
큰 수의 곱셈과 나눗셈, 분수와 소수의 덧셈과 뺄셈, 자연수 혼합 계산
총 6개 단원으로 그 중 2개 단원은 앱을 이용하여 시간을 재고 다른 친구들의 기록과 비교하는 집중 연산

초등5·6 단계

초등 5, 6학년 단계
분모가 다른 분수의 덧셈, 뺄셈, 분수와 소수의 곱셈과 나눗셈
6학년 연산 비중이 낮은 것을 고려한 통합 연산 단계
총 6개 단원으로 그 중 2개 단원은 앱을 이용하여 시간을 재고 다른 친구들의 기록과 비교하는 집중 연산

예비 중등 단계

초등 6학년, 중등 1학년 단계
유리수의 혼합 계산과 방정식의 계산 2권으로 중등 수학을 처음 접하는 학생들을 위한 원리 중심의 연산 교재
총 6개 단원으로 그 중 2개 단원은 앱을 이용하여 시간을 재고 다른 친구들의 기록과 비교하는 집중 연산